Dem Suchscheinwerfer gelingt es ein Lächeln zu finden,
bei den Angepassten und Spießern, den Kleinen und
Unauffälligen, dem Einen oder dem Anderen. Es breitet
sich aus, berührt mit seinem Klang.

Monika Seyhan

MONIKA SEYHAN

MAN(N) lächelt

Bibliografische Information der Deutschen Nationalbibliothek:
Die Deutsche Nationalbibliothek verzeichnet diese Publikation
in der Deutschen Nationalbibliografie; detaillierte bibliografische
Daten sind im Internet über https://portal.dnb.de/ abrufbar.

Grafik: FocusStocker/ Shutterstock.com
Satz, Umschlaggestaltung, Herstellung und Verlag:
BoD – Books on Demand, Norderstedt

ISBN: 978-3-7526-8576-3

Inhalt

Blumen in Afghanistan 7

Freunde 18

Seelenverwandt 31

Emanzipation 33

Schneewalzer 37

Emil und Else 40

Julio 52

Eine Weihnachtsgeschichte – Der Kommunist 74

Schwarz-Weiß 85

Oleg, das erste Mal 91

Das Märchen von starken Männern 99

Roadmovie 103

Episoden 129

- Herr Koch 133
- Batterie 136
- MAN(N) lächelt 138

Die Autorin 140

Blumen in Afghanistan

Ein Blumenstrauß muss her. Wo soll er in dieser Stadt ein Blumengeschäft finden? Man hat ihn zum Essen eingeladen und ohne einen Strauß Blumen für die Dame des Hauses kann er dieser Einladung unmöglich folgen. So gehört es sich, so wurde er erzogen.

Michael Bolman ist in Kabul unterwegs. Als Referent in der Erwachsenenbildung wagt er diese Reise. Ihm liegt sehr daran, nach seiner Rückkehr in der Heimat einen Bericht über dieses interessante Land, zu präsentieren. Abenteuerlich und aufregend ist die Gegend und das Leben der Menschen für ihn ungewöhnlich. Möglichst sachlich und doch mit großer Empathie will er die Eindrücke wiedergeben.

Seit einigen Tagen irrt er jedoch eher unglücklich durch die verstaubten Straßen dieser ihm bisher nichts sagenden Stadt. Aufgefallen sind ihm ungepflegte Straßen mit viel zu hohen Bürgersteigen, deren Zweck offensichtlich darin besteht, den Kindern als Sitzplätze zu dienen. Kleine Jungen mit fast kahl geschorenen Köpfen, abstehenden Ohren und fragenden Blicken sitzen hier. Die Kinder tragen meist weit geschnittene Hosen, in denen sie wie in einer Schaukel aus Stoff hocken. Sie sehen ihn entweder frech oder verängstigt an, Je nachdem, wie mutig sie sind. Wahrscheinlich wundern sie sich über einen Mann wie ihn, mit heller Hautfarbe und glatten Haaren, einer gebügelten Hose, mit einem Hemd und einer Krawatte.

Bolman nickt allen freundlich zu. Oft ist er geneigt, den Kindern das Kleingeld, mit dem seine Finger in den Hosentaschen spielen, vor die Füße zu werfen. Weil er sich dabei vorkommen würde wie einer, der dem Hund das Stöckchen hinwirft, verbietet er letztendlich, seinem Impuls nach zu geben.

Die Geschäfte hinter den geöffneten Rollläden bieten alles, was zum täglichen Leben nötig ist. Es interessiert ihn aber nicht. Er macht sich gar nicht die Mühe genau hinzusehen, was es da eigentlich gibt. Er weiß genau, dass für ihn nichts davon in Frage kommt.

Bolman wartet sehnlichst auf den Abend und das Treffen mit Navid in dem berühmten Garten Badur, dem Garten des Kaisers. Vor allem sehnt er sich nach angenehmeren Temperaturen, die dort in den frühen Abendstunden zu erwarten sind. Dann freut er sich auf den jungen Burschen, der ihm vom Hotel quasi als Fremdenführer zur Verfügung gestellt worden war. Schon gestern hatte er das Vergnügen, Navid kurz kennen zu lernen. Der Junge besucht eine Schule, in der Deutsch unterrichtet wird; seine Umgangsformen sind höflich, eine äußerst sympathische Erscheinung. In der Gegenwart des lebhaften und hilfsbereiten Jungen hat Bolman sich gleich wohlgefühlt.

Nur kurze Zeit haben sie miteinander verbracht und sich für den heutigen Abend im Garten des Kaisers verabredet. Anschließend wollte Bolman in einem Restaurant landesüblich essen gehen, doch Navid hat ihn gleich zu einem traditionellen Essen im Hause seiner Eltern eingeladen. Nirgendwo anders konnte das Essen so gut sein wie in einer Familie. Die Mahlzeiten dort sind opulent und nicht vergleichbar mit den Essen in den Restaurants. Dort hatte es Bolman schon sehr gut geschmeckt, doch er freut sich auf den Abend bei einer Familie und findet es wunderbar, eine solche Einladung bekommen zu haben.

Es ist ihm zwar nicht ganz klar, ob er dafür zahlen muss oder ob es wirklich eine Einladung ist, so wie er es von seiner Heimat her kennt.

Nach der kurzen Bekanntschaft schon ziemlich seltsam, diese Einladung. Auf jeden Fall braucht er jetzt diesen Blumenstrauß, doch leider hat er noch kein Blumengeschäft gesehen; er nimmt sich vor, den Taxifahrer zu fragen.

Navids Elternhaus liegt etwas abseits von der Stadt. Er lebt hier mit vielen Geschwistern und Verwandten. Die Familie ist zwar nicht außergewöhnlich wohlhabend, das Geld aus dem Teppichhandel reicht jedoch für ein gutes Leben und die Ausbildung der Kinder.

Der Job als Touristen-Begleiter und Übersetzer bringt Navid zusätzliches Geld, das er für die Erfüllung seines Wunschtraums, eine Reise ins Ausland, zurücklegen möchte. Sein Lehrer hat ihn mit Herrn Bolman bekannt gemacht. Dieser Deutsche ist etwa im gleichen Alter wie sein Vater, doch unterschiedlicher können zwei Männer nicht sein. Sie sind so verschieden wie die Länder, aus denen sie kommen, was soll sie da schon miteinander verbinden?

Den Berichten über Deutschland und Europa hat Navid im Unterricht mit großer Aufmerksamkeit gelauscht. Sein Lehrer Reza Bey hatte einige Zeit in Berlin gelebt und Navid ist jedes Mal das Leuchten in seinen Augen aufgefallen, wenn er von dieser Zeit gesprochen hatte. Sein Unterricht ging über die geographischen Kenntnisse hinaus, er berichtete über Frauen, die unverschleiert auf Straßen und in Kaufhäusern unterwegs waren und von Männern, die den größten Teil des Tages in Büros verbrachten und viel Geld verdienten. Auf den Straßen herrschte Ordnung, es mussten Regeln eingehalten werden und die Menschen bewegten sich frei, ohne einander zu beobachten und zu stören.

Navids Interesse und sein Talent, schnell eine Sprache zu lernen, hat nun in Afghanistan die Begegnung mit Michael Bolman möglich gemacht.

Er nimmt sich vor, Herrn Bolman am Nachmittag den Garten des Kaisers und andere Sehenswürdigkeiten zu zeigen, bevor am Abend das Essen im Haus seiner Familie stattfinden würde.

Es ist Sommer und der Abend die schönste Zeit eines heißen Tages.

Die Luft kühlt sich ab und der leichte Wind weht die herbeigesehnte Frische von den Bergen. Die Sterne bedecken den Innenhof ihres Hauses wie ein funkelndes Dach.

Während dieser Abendstunden mit dem Vater und den Brüdern auf den Teppichen unter dem Feigenbaum zu sitzen, Tee zu trinken, Tavla oder Schach zu spielen, miteinander zu reden, hat Navid besonders gern.

Bestimmt wird es auch Herrn Bolman gefallen.

Der Garten ist großzügig mit Teppichen ausgelegt, auch auf der Terrasse und vor dem Eingang ins Haus liegen Teppiche. Auf einem der kräftig roten, mit typisch afghanischen Mustern gewebten Teppichen werden sie auch die Mahlzeit einnehmen.

Nach der größten Hitze der Mittagszeit begibt er sich auf den Weg in die Stadt, es macht Spaß, durch die Straßen zu schlendern, in die Basare zu gehen und die vielen Ausländer zu beobachten, die mit großen Augen und lächelnden Gesichtern, das fremde Leben wahrnehmen. Junge Menschen die ihre Kleider eingetauscht haben, gegen die bequemen und farbenfrohen Gewänder seiner Landsleute. Ziemlich eigentümlich schauen sie darin aus. Blonde und rothaarige Männer und Frauen passen nicht so recht in die Bekleidung der Afghanen mit weiten Hosen und den breitärmeligen Hemden. Zudem fehlen die Geschmeidigkeit und Eleganz der Bewegungen.

Oft und gerne hockt Navid in den Parks, in der Nähe der Ausländer. Er hört zu, lauscht den fremden Worten, die er so gut versteht und beobachtet wie in aller Öffentlichkeit geraucht und lebhaft miteinander umgegangen wird.

Die Blicke der jungen Mädchen aus blauen oder hellen Augen begegnen ihm oft, sie schauen ihm lächelnd ins Gesicht und es gefällt ihm, so angesehen zu werden. Die fremden Frauen sind angetan von der eleganten schlanken Figur, den pechschwarzen glänzenden Haaren, der olivfarbenen Haut und den grünbraunen

Augen. Lächelt Navid, zeigt er gerade gewachsene weiße Zähne und Nasenflügel, die leicht beben. Gleichzeitig mit einem Lächeln hat er die Angewohnheit, beide Hände in die Höhe zu heben, sodass die hellen Innenflächen leuchten und seine Haltung ein wenig schüchtern wirkt.

Er ist genau der Typ, den die Reisenden, die meist auf dem Weg nach Indien sind und in Kabul den ersten großen Halt machen, bewundern.

Bei der ersten Begegnung Navids mit Bolman ist für beide sofort klar, dass es ein gutes Miteinander geben wird. Bolman, überzeugt von seinen guten Menschenkenntnissen, ist sich sicher, dass Navid ein ehrlicher Fremdenführer und wissbegieriger Student ist, dem er auch die Vorzüge seiner westlichen Welt vermitteln wird.

Navid profitiert von der Unkenntnis des Deutschen und erhofft sich nebenbei den Verkauf eines Teppichs. Geschäftssinn und Handel ist ihm in die Wiege gelegt, es ist wichtig für ihn, dass seine große Familie ein gutes Leben führen kann.

Das Haus der Familie am Rande der Stadt, umgeben von einer hohen Mauer ist das Zuhause seiner Eltern und Geschwister, der Tanten und der Onkel und Großeltern.

Kinder haben genügend Spielfläche im Garten. Wie viele Brüder und Schwestern Navid hat, interessiert ihn nicht so genau, für ihn heißen sie alle Baradar, Bruder und Karadar, Schwester; ob es Cousin oder Cousinen sind, ist ihm gleich.

Während die Frauen den hinteren Teil des Anwesens mit der Küche und den Vorratsräumen bewohnen, sind die Männer im größten Trakt des Hauses untergebracht. Dort gibt es mehrere Räume, die sich die Jungen und Alten teilen. Navid schläft gemeinsam mit den jungen Männern, Brüdern und Cousins, im gleichen Raum. Er ist es so gewohnt, sie reden viel miteinander, haben Spaß, schlafen oder bleiben wach, so wie es ihnen gefällt. Hin und wieder verspürt er den Wunsch nach einem Ort, den er allein bewohnen könnte.

Er hat darauf zu achten, was von ihm erwartet wird. Die strengen Regeln des gesellschaftlichen Lebens müssen eingehalten werden.

Lob und Anerkennung kann er nur dann erwarten, wenn er sich diesen Anforderungen unterwirft und sie befolgt. Zum Glück ist sein Vater ein gütiger Mann und seine Mutter eine warmherzige Frau. Zu ihr hat er sich schon mal unter den Rockzipfel flüchten können und die Hand des Vaters auf seinem Kopf zu spüren, gab ihm ein glückliches und sicheres Gefühl. Zu Hause spricht man mit ruhiger Stimme, die Eltern sind höflich zueinander und lieben das Zusammensein mit Allen in Harmonie.

Oft reisen Vater und Onkel in andere Städte, um Teppiche zu kaufen oder zu verkaufen.

Sind die Männer unterwegs, wird es lebhaft im Haus. Die Frauen erhalten Besuch von den Nachbarinnen und essen viele leckere Speisen und Süßigkeiten. Dann sitzen sie in gemütlicher Runde, die bunten Gewänder leicht geöffnet, die helle Haut fast bis zur Brust sichtbar. Es wird laut gesungen und gelacht. Die hübschen Frauen so frei und glücklich zu sehen, ist für Navid die Aufforderung, das Radio zu holen, die passende Musik zu finden und mit Begeisterung den Rhythmus zu klatschen. Erst sind es die Mutter und die Tanten, die ihre wohlgerundeten Hüften bewegen und kess über die genauso beweglichen Schultern lachen. Sie schnalzen mit der Zunge und stoßen Lockrufe aus, die Navid an das Geschrei von Vögeln erinnert.

Dann interessieren ihn die jungen Mädchen, die sich nach anfänglichen Hemmungen so wie die Alten bewegen. Mal sanft und anmutig, mal herausfordernd mit fragenden Blicken, die Sehnsucht nach Unbekanntem wecken.

Navid liebt diese Zeiten genauso wie die Momente, wenn die Männer mit wunderschönen Teppichen zurückkehren, diese ausbreiten und mit ehrfürchtigen Händen darüber streichen. Raue Männerhände gleiten dann zart über wunderschöne Farben auf seidigen Mustern. Der Vater erklärt die Geschichten, die abgebildet sind. Wilde Tiere oder wundersame Blumen, geschmückte Frauen und Männer, edel gekleidet wie in vergangenen Zeiten. Es sind großartige Arbeiten. Die jungen Leute empfinden Achtung und Respekt vor dem Schaffen fleißiger Hände.

Laufen die Geschäfte gut, gibt es Geschenke für die Jungen. Bestickte Westen und Kopfbedeckungen, Drachen und kleine Dolche. Die Mädchen erhalten Armbänder und Ketten mit dem blauen Lapislazuli, dem typisch afghanischen Edelstein.

Läuft es nicht so gut mit dem Verkauf, erhebt der Vater die Hände und dankt Gott für die Gesundheit und die gute Gemeinschaft seiner Familie. Die Mutter seufzt ein Amen und erhebt die Augen zum Himmel.

Heute Abend wird der Tourist aus Deutschland einen Einblick in das Leben einer afghanischen Familie erhalten.

Die Hauptmahlzeit, Kabuli Reis mit Lammfleisch, Rosinen und Pinienkernen in Safran gefärbt, dampft längst im Kessel. Viele kleine Nebenspeisen, Gemüse, Minze und Joghurt duften verführerisch. Die Süßspeisen sind angerichtet, Zimt und Nelkengeruch versprechen wahrhaftige Köstlichkeiten.

Nur Bolman ist es noch nicht gelungen, einen Blumenladen ausfindig zu machen, es ist ihm peinlich. Mit leerer Hand kann er unmöglich zu Navids Einladung gehen.

Nervös macht er sich fertig, zieht eine lange dunkle Hose und ein frisches Hemd an. Die letzte Chance, Blumen zu bekommen, erhofft er sich, gemeinsam mit Navid.

In der Hotellobby ist es kühl und dunkel, heruntergelassene Rollos klappern gegen die Fensterscheiben. Tageslicht dringt durch die breite gläserne Eingangstür. Niemand hat es bei dieser Hitze geschafft, die dicke Staubschicht von den Scheiben zu wischen, jetzt sind die Staubkörnchen hundertfach zu sehen, Bolman schüttelt den Kopf.

»Mister Bolman«, die sanfte Stimme des Mitarbeiters an der Rezeption ruft mehrmals nach ihm.

Als er sich umschaut, hätte er den Jungen gerne von dem dunklen Anzug, dem schmuddeligen Hemd und der Krawatte erlöst. Eine Klimaanlage gibt es im ganzen Haus nicht und die Hitze ist unerträglich. Der junge Mann reicht ihm einen Zettel mit einer Adresse.

Navid hat eine Nachricht hinterlassen. Es ist ihm nicht möglich, in den Park zu kommen, eine Demonstration hat das ganze Stadtviertel dort lahmgelegt.

Auf dem Zettel steht die Adresse, die ein guter Taxifahrer finden und Bolman direkt zu ihnen nach Hause bringen würde. Das Hotelpersonal würde natürlich behilflich sein; nur was ist mit den Blumen, auf die Bolman wirklich nicht verzichten will. Die Augen des jungen Mannes an der Rezeption werden immer größer, als er sein Problem vorträgt. Die Englischkenntnisse reichen nicht aus, seinen Wunsch zu verstehen. Flower und Present werden irgendwie verstanden und letztendlich zeigt der Junge mit einem Achselzucken auf eine Blume, die vor der Tür versucht, in einer Blechdose aufzublühen.

Present and Flower, wiederholt er hilflos mit Blick auf die rote Blüte, die mit kleinen gelben Staubfäden wie ein Stern aus sieht.

Sein Geschenk für die Dame des Hauses. Es finden sich noch Servietten, die die Blechdose verschönern und endlich ist Bolman bereit, ins Taxi zu steigen. Unruhen auf den Straßen lassen die Fahrt nur langsam voran gehen. Der englisch sprechende Fahrer verteidigt die Demokratie, wünscht sie herbei und stellt sich entschieden gegen die Regierung durch das Königshaus. Nur laut sagen will er das nicht. In Gedanken sieht er den Fortschritt seines Landes durch eine kommunistische Regierung, die besonders den Menschen auf dem Land zu Gute kommen würde. Nicht länger mit Politik beschäftigt hält das Taxi vor einer langen Mauer und Bolman hat das Gefühl, dass der Fahrer ihn schnell los werden will.

Vorsichtig mit der Blume in der Hand, sucht er die Eingangstür.

Auf dieser Seite vergeblich, es gibt nur eine lange Mauer und zur anderen Seite der Straße ein offenes Feld mit viel Gerümpel, Müll und ähnlichen Dingen.

In weiter Ferne sieht er noch das Gebirge, das die Stadt einzuschließen scheint. In der steinig und erdig gefärbten Gegend sucht er vergeblich etwas Frisches, Lebendiges und freut sich schließlich an dem kräftigen Blau des Himmels.

In welche Richtung soll er gehen? Irgendwo muss es doch einen Eingang geben. Vorwärts zu gehen gibt ihm ein sicheres Gefühl, vorne muss der Eingang sein.

Den Fotoapparat um die Schulter gehängt, die Ausweispapiere in der Brieftasche, mit dem Blumentopf in der Hand macht er sich auf den Weg und ist froh, dass ihm keine Menschenseele begegnet. Es mag wohl daran liegen, dass die Adresse etwas außerhalb der Stadt liegt. Hoffentlich hat der Taxifahrer ihn nicht reingelegt. Es ist noch heiß und es ärgert ihn, dass er Strümpfe und feste Schuhe anstelle von Sandalen angezogen hat. Abgemagerte, sonderlich gelb farbige Hunde, wer weiß, wo sie so plötzlich hergekommen sind, begleiteten ihn ein Stück; er hat nichts, was er ihnen hätte geben können. Weil es ihm unangenehm ist, verscheucht er sie mit zischenden Lauten.

Hoffentlich ist der Eingang bald zu sehen. An der langen Mauer hat er ein großes Tor erwartet und die ziemlich kleine Tür, die er plötzlich in dem Gemäuer wahrnimmt, enttäuscht ihn.

Weder eine Klingel noch ein Namensschild ist angebracht. Er hat keine Lust weiter zu gehen und schlägt heftig mit der Faust gegen die Tür, ruft laut Hallo und nach Navid. Dass seine Stimme zornig klingt, stört ihn nicht.

Zu seinem Glück regt sich etwas hinter der Tür. Er hört Kinderstimmen und die dazugehörigen Gesichter schauen mit fragenden Augen über die Mauer. Mehrere Jungen springen immer wieder hoch und zeigen sich kurz. Bolman grüßt freundlich und ruft immer wieder nach Navid. Die Kinder verschwinden und die Schritte Erwachsener sind zu hören.

Ein junger Mann in bequemer Kleidung öffnet vorsichtig die Tür und verbeugt sich lächelnd.

»Willkommen Bruder«, der Mann hält eine Hand vor der Brust, die andere zeigt auf den Weg in den Garten und in das Haus. Seine

Frage nach Navid beantwortet er nicht, doch das »Willkommen Bruder« klingt sehr herzlich. Bolman befindet sich in einem Garten, auf dessen Boden kein Gras wächst, sich keine Wiese befindet, sondern Teppiche ausgelegt sind. So gut es geht, versucht Bolman unbemerkt Schuhe und Strümpfe auszuziehen, versteckt diese unter einem Strauch und läuft, ebenso freundlich lächelnd, weiter dem jungen Mann hinterher.

Auf der Terrasse sieht er Männer, alle in den luftig weiten Hemden und Hosen gekleidet, barfuß auf den Teppichen sitzend, die ihm freundlich zu winken. Bolman hebt die Schulter, streckt die Hände fragend in den Himmel »Wo ist Navid?«

Diese Frage wird mit viel Gerede und Handzeichen beantwortet, verstanden hat er natürlich nichts. In seiner Größe, so aufrecht stehend, kommt er sich überheblich vor. Die Blume ungeschickt in der Hand, lässt er sich ungelenk auf einem der Teppiche nieder.

Jetzt zeigt er mit dem Wort »Mutter, Madre, Mama« auf die Blume, das Wort ist international und muss doch verstanden werden. Aber Kopfschütteln und Gelächter sind die Antwort.

Frauen sind nirgendwo zu sehen.

Aber Navid kommt- endlich. Die Freude darüber ist auf beiden Seiten groß. Dass Navid sich als Dolmetscher betätigt wird mit Beifall belohnt; doch die Erklärung, die Blume sei ein Geschenk für die Mutter, ruft hochgezogene Augenbrauen und ungläubige Gesichter hervor.

Die Mutter ist im Haus, sie würde nicht herauskommen und Blumen gibt es zur Genüge. Mit einer Handbewegung zeigt Navid auf eine herrliche Blumenpracht entlang der Mauer. Blüten über Blüten, die Bolman gar nicht aufgefallen sind. Sein Erklärungsversuch über diese Sitte in Deutschland erntet versteckte Lacher. Blumen, Blumen als Geschenk für Frauen scheint unmöglich zu sein, ein Fauxpas, dem so viel Mühe vorausgegangen war.

Andere Länder, andere Sitten. Bolman streckt sich gemütlich aus, lehnt sich in die Kissen und versucht das gleiche dauerhafte Lächeln, wie er es bei seinen neuen Freunden gesehen hat.

Navid erklärt ihm die Verwandtschaftsverhältnisse in Haus und Hof. Die Geschwister des Vaters mit ihren Familien, die Brüder und Schwestern, die Großeltern, alle haben hier ihren Platz.

Die Frage nach den weiblichen Bewohnern soll er wohl lieber nicht stellen, geht es Bolman durch den Kopf. Obwohl er zu gern die Mutter und die Schwestern kennen gelernt hätte.

Ein Haus ohne Frauen ist doch nicht möglich, sie sind da, aber nicht sichtbar. Ihre Spuren zeigen sich in den Arrangements der Teppiche, der Zusammenstellung der Farben und Stickereien auf den Kissen. Duft übertragen sie auf die Speisen, eine Vielfalt an Zimt, Vanille, Koriander und Rosenwasser. Ihre Stimmen sind verhalten und kichernd hinter sich leicht bewegenden Vorhängen zu hören. Manchmal ein wenig frech, dann wieder schnurrend wie bei einer Katze. Bolman ertappt sich dabei, den Stimmen zu lauschen, es macht ihm Spaß, herauszufinden, wem sie gehören könnten. Klingen sie jung oder älter, froh oder streng.

Bequem in die Polster gelehnt lächelt Bolman genau wie die Herren des Hauses, ein Lächeln, das er allmählich versteht.

Es geschieht nicht nur aus Höflichkeit, die Männer werben mit ihrer Freundlichkeit, ihren Gesten und Bewegungen um die Beachtung der Frauen, die sie hinter den Vorhängen wissen. Sie hoffen, dass ihre Sehnsüchte und begehrenden Gedanken durch die leicht wehenden Vorhänge wahrgenommen werden. Die unterschiedlichen Laute der Frauenstimmen beflügeln ihre Fantasie.

Die Männer zeigen sich von ihrer besten Seite und genießen es, beobachtet zu werden. In dem Bewusstsein, das dies ein Geheimnis ist, das jeder kennt, aber von keinem preisgegeben wird. Es ist gleich, für welche das Herz schlägt, der Mann will der Held sein, stark und unwiderstehlich.

Bolman lächelt, er fühlt sich außerordentlich verbunden mit dieser verschworenen Männergesellschaft.

Nur eine Frage lässt ihm keine Ruhe. Zu gerne hätte er gewusst, wie die Frauen auf seine Blume im Topf reagiert hätten.

Freunde

Sie sehen sich nicht mehr so oft, die beiden Männer, die zu Freunden geworden sind.

Kennengelernt haben sie sich in ihrer Heimat, wo sie das Angebot, den Militärdienst in vier Monaten hinter sich zu bringen, als große Chance gesehen und angenommen hatten.

Beide leben im Ausland, haben blonde Frauen und Kinder, Naturwissenschaften studiert und das Studium mit einem Doktortitel beendet. Lediglich ihre Statur, beziehungsweise, die Körperlänge unterscheidet sie.

Bei brütend heißer Sommersonne, eingeschlossen in das lang gezogene Kasernengebäude in einer türkischen Kleinstadt begegnen und begrüßen sie sich mit diesem erwartungsvollen Blick aller Neulinge.

Aus dem Bewusstsein, Söhne des gleichen Mutterlandes zu sein, entsteht die Bereitschaft, diesem zu dienen, wenn auch nur für vier Monate. Eine einmalige Gelegenheit für Murat, dem Professor, der jetzt in Holland lebt und Ali, dem Doktor, der mit seiner Familie in Deutschland wohnt.

Ali ist jung, noch keine dreißig, sportlich, drahtig mit geschmeidigen Bewegungen, wachem Blick, und einem unwiderstehlichen Lächeln. Der Typ, dem nichts passieren kann, dem man nichts anhaben kann, der Held.

Murat, klein von Gestalt, fünf Jahre älter, rundlich, abwartend, mit intelligenten Augen.

In einem trägen Körper steht er ein wenig hilflos im Schlafsaal. Vier Monate wird dies sein zu Hause sein und er weiß nicht, wo er schlafen soll.

Als Ali ihn sieht, wird klar, dass Murat das untere der Etagenbetten belegen wird. Schnell wirft er die zugewiesene Kleidung nach oben: »Hier liege ich, du hast unten Platz, einverstanden?«

»Aber natürlich, natürlich.«

Selbstverständlich bleiben sie zusammen, sitzen während der Unterrichtsstunden nebeneinander, robben gemeinsam über den Boden und klettern über die Barrieren. Natürlich unterstützt Ali den Kameraden, wo es nur geht. Stellt sich schützend vor oder hinter ihn, lässt nicht zu, dass eine dumme Bemerkung fällt.

Murat selbst nimmt sich nicht so ernst. »Wie soll ich mit dem dicken Bauch so schnell laufen, ich brauche eure Unterstützung.«

Sein Freund Ali schneidet ihm die spärlichen Haare und rasiert ihn, bevor sie verbotene Ausflüge in die Stadt unternehmen.

Es macht ihnen Spaß, eingeseift unter der Dusche zu stehen und laut zu lachen, wenn in diesem Augenblick das Wasser abgestellt wird.

Treuherzig, mit unterdrücktem Lächeln, wagen sie es, in die Augen des Hauptmanns zu sehen, wenn Ali zu später Stunde im Schlafanzug, dem Befehl gehorcht und stramm steht.

Die Strafe, ein Ausgehverbot am Wochenende, stehen sie gemeinsam durch und genießen die Tage in einer fast menschenleeren Kaserne bei sonnigem Wetter.

Ali überzeugt Murat, das Denken in der Kaserne abzuschalten und von besseren Zeiten zu träumen. Das, was zählt, das einzig Wichtige in dieser nutzlosen Zeit ist, dass sie sich verstehen.

Murat, der kleine Dicke und Ali, der große Junge. Vier Monate sind sie zusammen, Tag und Nacht! Sie sitzen auf dem großen Gelände, wechseln sich ab mit der einzigen Sonnenbrille, die das Einschlafen bei langweiligen Vorträgen unauffällig macht.

Sie essen große Mengen Weißbrot in dem Glauben, dass ihre Lust eingeschläfert wird. Kleine Steine werfen sie in die Vertiefungen des erdigen Bodens und erinnern sich an die Murmelspiele ihrer Kindheit.

Schweigend sind ihre Spaziergänge am Meer, sie wissen um die jeweilige Sehnsucht nach Frau und Kind.

An einem freien Wochenende trifft Murat seine Familie in Istanbul. Ali kommt mit ihm und läuft dann allein durch die Stadt. Zurück in der Kaserne erkennt Murat die Trauer in Alis Augen, als dieser die Fotos seiner Familie betrachtet, die er mit Heftzwecken an der Innenseite des Spindes geheftet hat.

Murat wagt es, dem Tausendsassa Ali von neuen Geschäftsideen und den zahlreichen Erfindungen die in seinem Kopf herum geistern, zu erzählen. Ali hört zu, geduldig und aufmerksam.

Vier Monate sind Zeit genug für eine Veränderung; unbemerkt hat sich eine neue Weltanschauung eingeschlichen und sie infiziert. Es sind die gleiche Kleidung, die gleiche Schlafstelle, die gleiche Mahlzeit, die gleichen Bewegungen, die Monotonie des Alltags die immer mehr die Individualität verhindern. Das Denken haben andere übernommen, Wesensveränderung nicht ausgeschlossen.

Die Pläne für die Zeit werden beeinflusst. Murats Idee, Transporte für Maschinen, Geräte und Lebensmittel zu arrangieren, beschäftigen ihn täglich.

»Wir bauen einen fantastischen Gütertransport auf, verkaufen Lebensmittel aus der Heimat an unsere Landsleute im Ausland«, Murat plant und rechnet, organisiert. Natürlich muss Ali sein Partner werden. Mit heftigen Gebärden versucht er, dem Freund, der wirklich kein Geschäftsmann ist, seine Idee schmackhaft zu machen und ihn von zu erwartenden hohen Einkünften zu überzeugen.

In seinen Gedanken fahren bereits gut gekühlte LKW mit Lammfleisch, Ziegenkäse und weiteren Lebensmitteln aus der Türkei nach Holland und Deutschland. Die Landsleute haben die Chance, Frisches und Gewohntes aus der Heimat kaufen zu können. Murat klatscht in die Hände und freut sich über diese Vorstellung- Ali hört zu und lächelt.

Vielleicht hatte Murat recht, ein Versuch wäre es schon wert.

Im Moment ist er jedoch mit anderen Gedanken beschäftigt.

Sein Plan ist es, die Zukunft wieder in seiner Heimat, in Istanbul, Izmir oder einer anderen Großstadt zu verbringen. Warum war er ins Ausland gegangen? Sein Land ist wunderschön und eine gut bezahlte Stelle wäre ihm in seiner Position und mit seinem Studium sicher. Es wäre nicht mehr als gerecht, dass seine Frau und die Kinder auch in dem Land leben würden, das seine Heimat ist.

Er träumt von einem Sommerhaus am Meer, seine Mutter und Geschwister ganz in der Nähe zu haben. Musik, die er liebt und vermisst, jederzeit im Radio zu hören. Den Duft von Zitronen und Apfelsinenbäumen im eigenen Garten zu riechen, dazu Feigen und Oliven essen, natürlich bei strahlendem Sonnenschein.

Der Aufenthalt hat sein Ziel erreicht, die Gedanken sind manipuliert; jetzt gilt es, die Richtung zu finden.

Koffer werden gepackt, Adressen und Telefonnummern ausgetauscht. Sie staunen über die Anzüge, die ihnen, viel zu groß geworden, um den Leib hängen.

»Murat wo ist dein Bauch?«

Ali ist so schlank und gelenkig wie in Jugendzeiten, auch seine Hose ist viel zu weit.

Sie reden wenig miteinander, sie spüren keine Wehmut und machen sich auf den Weg.

In Holland und Deutschland sind sie Fremde, die sich darüber wundern, hier glücklich gewesen zu sein.

Ihren Frauen sind sie fremd.

Alis Frau sucht eine Antwort in den Briefen, die in den vergangenen Monaten hin und her gegangen sind. Liebesbriefe, gefüllt mit Sehnsucht, mit Worten, die sie selten ausgesprochen, aber mit einer erstaunlichen Leichtigkeit zu Papier gebracht hatten. Die Briefe, aufgehoben in der olivfarbenen Kappe, der Soldatenmütze, die Ali als Souvenir mitbrachte. Jetzt versehen mit der Hoffnung, dass das Geschriebene nicht umsonst und die Zeit davor wieder hergestellt würde.

Murat telefoniert mit Ali, vereinbart einen Treffpunkt. Unbedingt ist er bereit das umzusetzen, was in den Monaten der Kameradschaft entstanden war.

Die Bereitschaft dazu hält sich bei Ali in Grenzen. Bei der Familie stimmt noch nicht alles, er muss herausfinden, was er genau will.

Er hat noch nicht die Nähe zu seiner Frau gefunden, verhält sich seltsam zurückgezogen. Die Vorstellung, in der Türkei zu leben, ist nicht mehr so klar, obwohl er noch davon überzeugt ist, in das Land seiner Kindheit zurückzukehren. Leute in seiner Position, mit seiner Ausbildung, würden gebraucht und könnten das Land voran bringen.

Nur seine Frau passt nicht in dieses Bild und die Kinder wollen den Vater zurück, den sie kennen. Freunde, Kollegen, Nachbarn und Verwandte begrüßen ihn herzlich. Sie umarmen ihn und heißen in Willkommen. »Willkommen zu Hause«, sie strahlen und verstehen den unsicheren Blick und seine Sprachlosigkeit nicht.

Ali vermisst die brennende Sonne, die verbrannte Erde und das Warten auf die Briefe seiner Frau. Den schwarzen Tee und die alles übertönende Stimme des Hauptmanns, die Kameradschaft und den zum Freund gewordenen Murat.

Seine Frau braucht Geduld, sie weiß dass er zurück finden wird und erschreckt doch hin und wieder, wenn er sie mit kühlen Blicken ansieht und das Leuchten seiner Augen nur bei den Erzählungen der Erlebnisse vergangener Wochen erscheint. Ali redet mit ihr in seiner Muttersprache und erschrickt, wenn sie ihn berührt. Die Kinder betrachten verängstigt diesen Mann, den sie anders in Erinnerung und von dem die Mutter immer mit einem glücklichen Lächeln geredet hatte.

Ali hängt sich ans Telefon, seine Augen leuchten, als endlich der Tag kommt, an dem er Murat treffen wird.

Der hat nicht das Problem, den Alltag wieder zu finden, schon immer nahm er sich Freiheiten für seine Ideen und seine Vorhaben. Zum Glück findet er bei seiner Frau Ella Verständnis, deren

Leben als Naturwissenschaftlerin ausgefüllt ist mit Arbeiten an der Universität. Die Kinder haben sich dem Rhythmus der Eltern angepasst, sie werden versorgt und sind früh selbstständig.

Zum ersten Mal nach Beendigung der Militärzeit sitzen die beiden Männer wieder zusammen. Im türkischen Restaurant in der Straße, die sie »Klein Istanbul« nennen. Bei schwarzem Tee und Kebap hören sie aus dem Lautsprecher die wehmütigen Stimmen heimatlicher Sänger und widmen sich zunächst den Erinnerungen. Ali ist überrascht von seinem Gegenüber. Sein Schützling hat sich verändert, der schüchterne Murat braucht ihn nicht mehr. Selbstbewusst breitet er die mitgebrachten Pläne aus und überzeugt Ali davon, als sein Partner einzusteigen.

Murat ist vielseitig. Außer den Geschäftsplänen legt er Angebote der Regierung vor, die ihm einen Job als Berater bei der Untersuchung und Anfertigung spezieller militärischer Geräte anbieten. Schlau und clever schafft er es, auf vielen Hochzeiten zu tanzen und das gelingt ihm gut. Er ist aktiv, sprüht vor Lebendigkeit und erledigt seine Arbeit mit solch einer Intensität, die Ali noch nicht begreift. Es geht ihm alles zu schnell.

Die Seiten haben gewechselt, jetzt ist es Murat, der Ali an die Hand nimmt. Ali erinnert sich vergebens an den Hilfe suchenden Blick Murats. Der Kamerad, den er beschützt und verteidigt hatte, dem er half, über einen Zaun zu klettern und für den er sich bei Auseinandersetzungen stark gemacht hatte, ist ein Anderer geworden.

Ali nimmt ihn zum Abendessen mit nach Hause. Hier fühlt er sich sicher, hier fällt es ihm leichter, die alte Vertrautheit wieder herzustellen.

Zweifel kommen seiner Frau, die nicht glaubt, dass diese Verbindung gut gehen wird- sie hat da so ein Gefühl. Murat ist ein sympathischer Mann, doch seine ausgeprägten Eigenschaften, geschäftstüchtig und genial zu sein, passen nicht zu ihrem Mann.

Gemeinsam mit der Familie fahren sie beim nächsten Treffen nach Holland, wo Murat, mit Ella und den Kindern in einem großzügigen Haus, idyllisch an einem kleinen See inmitten eines Naturschutzgebietes gelegen, lebt. Die Straßen dort sind breite Wege, die über und über mit abgefallenen braunen Nadeln der Kiefernbäume bedeckt sind. Wie über einen weichen Teppich gehen sie zum Eingang des Hauses.

Ella, Murats Frau, empfängt sie sehr freundlich. Aus Murats Erzählungen ist sie gut informiert über die Familie aus Deutschland und breitet herzlich die Arme aus.

»Ein typisch holländisches Gesicht, gesund, mit blauen Augen und roten Wangen« sind Alis Gedanken bei der Begrüßung.

Seiner Frau fallen eher die sehr langen Beine auf und der Zigarettenstummel, den Ella im Mundwinkel festhält.

Nach den ersten üblichen Worten sitzen die Frauen in der Küche, spielen die Kinder im Garten und arbeiten die Männer am Schreibtisch.

Ella raucht eine Zigarette nach der anderen, für Marianne bewundernswert, wie sie mit der Kippe im Mund eine Unterhaltung führen, die Spülmaschine einräumen und auch noch einen Kaffee aufbrühen kann.

Im Garten toben die Kinder und haben Spaß mit Karl, dem Dalmatiner Hund. Auf Blumenbeete brauchen sie nicht zu achten, es gibt keine.

Sehr entspannt und großzügig ist die Atmosphäre, Kuchen, Gebäck, Brot und Aufschnitt stehen genau wie der Kaffee, zur Selbstbedienung auf dem Tisch, unkompliziert sind die Gespräche der Frauen. Nach einem Spaziergang mit Kindern und Hund um den See haben Ali und Murat die geschäftlichen Dinge im Haus beredet.

Am Abend geht es zurück nach Deutschland, Ali und Familie bedanken sich für den schönen Tag in Holland und winken so lange, bis das Haus hinter den Kiefern verschwunden ist.

Auf der Rückfahrt erwähnt Ali, dass sie die nächsten Ferien im Haus von Murat und Ella verbringen können. Murat sei geschäftlich unterwegs und Ella mit den Kindern bei den Großeltern in einem anderen Teil der Niederlande.

Ali, Marianne und die Kinder sind als Hüter des Hauses und des Hundes herzlich eingeladen.

Die Kinder jubeln und freuen sich auf das Ferienparadies an dem idyllischen Badesee.

Wieder fest verankert ist seit diesem gemeinsam verbrachten Sonntag die Freundschaft der Männer. Der Versuch gemeinsam etwas aufzubauen kommt aber nicht zustande. Das Projekt, einen Lebensmittelhandel zwischen den Ländern aufzubauen, scheitert und lässt sich nicht verwirklichen.

Alis Enttäuschung ist groß, er hat viel Geld investiert, das nun verloren ist. Das bedingungslose Vertrauen in Murat hat einen Knacks bekommen, er schafft es nicht so leicht wie der Freund, die Sache mit einem Achselzucken abzuhaken. Für Murat ist es ein Leichtes, mit mehr Interesse an seinen wissenschaftlichen Arbeiten zu arbeiten.

In der Zeit ohne Murat schafft Ali es, seiner Familie Schritt für Schritt näher zu kommen. Die Chance einer neuen Berufstätigkeit nimmt er wahr und wird glücklich als Lehrer. Zufrieden mit dieser Arbeit, im Kreis der Familie und guter Freunde wieder angekommen, freut er sich wahnsinnig über die Geburt des dritten Kindes. Sie kaufen ein Haus, das viele Anforderungen an Ali's handwerkliches Geschick stellt.

Ali, der Familienmensch und Murat, der Geschäftsmann. Trotz der unterschiedlichen Wege, die sie gehen, besteht eine Bindung und Zuneigung, die mit tiefer menschlicher Wärme behaftet ist.

Murat ist zu Gast in Alis Familie, wenn er die Messeveranstaltungen in Köln besucht. Korrekt gekleidet im dunklen Anzug, mit der Aktentasche unter dem Arm, die gefüllt ist mit den Unterlagen seiner Projekte, berichtet er mit sanfter Stimme über seine neuesten Ideen. Er liebt die türkische Mahlzeit, die Ali für ihn zubereitet hat und sitzt zufrieden mit dem Freund bis tief in die Nacht.

Alis Frau hat sich längst zurückgezogen und lächelt, als sie die

Stimmen und das Lachen der Beiden hört. Der Rakı zeigt seine Wirkung, die Stimmen werden lauter und das Lachen herzlicher. Da sitzen die beiden Männer, trinken miteinander, essen den weißen Käse und die Oliven, hören die Klänge heimatlicher Musik und erinnern sich an die »schöne« Zeit, die sie in einer Kaserne miteinander verbracht haben.

In der Türkei besitzt Murat ein Haus in einer Ferienanlage am Ägäischen Meer. Das Interesse, dort Ferien zu verbringen, ist bei seiner Familie nicht groß. Ella und die Kinder bleiben lieber in Holland und er hat keine Zeit.

»Ali, nimm deine Familie und verbringt die Ferien dort« ist ein verlockendes Angebot, dass Ali lächelnd hört, aber erst nach vielen Jahren in Anspruch nimmt. Nicht für sich selbst, seine erwachsenen Söhne erleben mit ihren Frauen in einem Haus mit einem fantastischem Ausblick auf eine traumhafte Bucht den Sommer.

Die Jahre vergehen und jeder ist beschäftigt und ausgefüllt mit den Dingen, die zu seinem Leben gehören.

Hin und wieder telefonieren sie und Murat bedauert, dass sein Familienleben so ganz anders verläuft, als er es von der Türkei her kennt. Jetzt, da er in die Jahre gekommen ist und öfter Zeit zu Hause verbringt, möchte er gerne Leute um sich haben. Oft ist er allein, Ella unterrichtet noch an der Uni und die beiden Töchter wohnen mit den eigenen Familien irgendwo in Holland. Es ist nicht so wie in der Türkei, wo das Leben mit Kindern, Enkeln, Verwandten und Freunden ausgeprägt und lebendig ist.

Murat hat Sehnsucht, er telefoniert mit Ali und bittet ihn inständig, für ein Wochenende nach Holland zu kommen.

»Fahren wir hin, nehmen wir Rakı und Bulgur mit und machen Köfte für Murat.«

Ali überredet seine Frau und der Besuch bei Murat und Ella wird zu einem gemütlichen Wochenende.

Sie haben sich viel zu erzählen. »Seit wie viel Jahren kennen wir uns, was verbindet uns, wie war unser Lebensweg und wo stehen wir jetzt? Unsere Kinder sind erwachsen, wie viel Zeit bleibt uns noch?«

Die Fragen die Menschen ihres Alters beschäftigen, erhalten nicht immer Antworten und führen zu keinem Schluss. Der Abend wird lang, sie werden müde. Murat schlägt Ali kameradschaftlich auf die Schulter: »Mein Freund, die schlimmen Zeiten sind vorbei, als wir in der Kaserne mit vielen Menschen in einem Raum schlafen mussten. Heute Nacht habt ihr den Komfort, jeder ein Schlafzimmer allein für sich nutzen zu können, das Haus ist groß geworden, seit die Kinder nicht mehr hier wohnen.«

Ali gibt den Schulterschlag zurück: »Wo denkst du hin? Ohne meine Frau an der Seite schlafe ich niemals, dein Angebot ist großzügig, vielen Dank. Und jetzt hilf mir, ein zweites Bett in mein Schlafzimmer zu tragen.«

Die Männer lachen und transportieren ein Bett von einem Zimmer ins andere.

Am nächsten Tag holen sie die Fahrräder aus der Garage und machen eine kleine Tour, »wie es in Holland sein muss«, so Ellas Kommentar.

Es geht nicht lange gut, Murat ist schnell müde und möchte sich ausruhen. Wieder zu Hause, liegt er blass auf dem Sofa und versucht ein schwaches Lächeln.

Auf leisen Sohlen verabschieden sich Ali und Marianne und fahren zurück nach Köln.

Einige Tage später ist es ungewöhnlich, Ella am Telefon zu hören. Sachlich und ruhig klingt ihre Stimme, als sie mitteilt, dass Murat einen Herzinfarkt erlitten hat und im Krankenhaus auf der Intensivstation liegt.

Ali kann es nicht fassen und regt sich fürchterlich auf. Unruhig läuft er durch die Wohnung und kommt nicht zur Ruhe.

»Es musste ja soweit kommen, Murat lebt einfach sehr ungesund. Er hat keine Bewegung und einen viel zu dicken Bauch. Er trinkt zu viel und raucht zu viel.

Die anstrengenden Reisen, das viele Sitzen und die ungesunden

Mahlzeiten, das sind die besten Voraussetzungen für ein Herzversagen.«

Er redet und redet, ärgert sich und merkt nicht, wie unsinnig das Geplapper ist. Mariannes Versuch, ihn zu beruhigen, bringt nicht viel, seine Gespräche haben zur Zeit nur dieses Thema.

Erst als nach einigen Wochen die Stimme Murats auf dem Anrufbeantworter zu hören ist, beruhigt sich Ali, der gewohnte Alltag kann weitergehen und der Gedanke an Murat nimmt wieder den Platz ein, der ausreichend ist.

Ali und Marianne genießen die freie Zeit, die sie jetzt im Alter haben und lassen sich auf neue Abenteuer ein. Die Reisen nach New York und San Francisco bieten genügend Stoff für schöne Gespräche und Erinnerungen.

Die Sommermonate verbringen sie an der Adria. Beide lieben das Leben dort am Meer und haben unter den Italienern gute Freunde gefunden. Italien ist ihnen zur zweiten Heimat geworden ist.

Die Türkei ist in weite Ferne gerückt und die Verwandten dort sind weniger geworden. Die politische Lage hat sich so verändert, dass es für Ali unmöglich ist, Zeit dort zu verbringen. Die Träume der Vergangenheit sind nicht mehr vorhanden.

In Italien findet Ali die Sonne und den Lebensstil die ein Südländer braucht. Er fühlt sich wohl in der lieblichen Landschaft und die kultivierte Lebensart der Menschen gefällt ihm.

Marianne vermisst eher die Besuche in die Türkei, hat sie doch wunderbare Erinnerungen an die Zeit der ersten Liebe zu Ali. Als er ihr mit glühenden Augen und großer Begeisterung faszinierende Landschaften gezeigt hatte. Wo sie die Großherzigkeit der einfachen Menschen kennenlernte. Ruhe und Stille sowie Lebhaftigkeit gleichermaßen erfahren hat.

Es hatte ihr gefallen, die Mentalität der Menschen intensiv wahrzunehmen und vieles in der Beziehung zu Ali verstanden zu haben. Sie hatte es geliebt, in Gesichter zu schauen, die Geschichten erzählten. Tief gebräunte, mit vielen Falten und Runzeln geprägte Gesichter der Alten und wild aussehende, mit Schnurrbart und Bartstoppeln bedeckte der Jungen. Feurige Blicke aus den Augen der Männer hatte sie verstanden, dagegen die Blicke der Frauen zu deuten, fiel ihr schwerer. Es war, als würde jede Frau ihr Geheimnis haben. Geheimnisse, die sie schwermütig oder keck in sich bewahrten.

Zusammen mit Ali hatte sie glückliche Tage in der Türkei erlebt, Sie war ihm dort sehr nahe. Hatte es wunderbar gefunden, Hand in Hand durch seine Heimat zu gehen. Sie waren etwas Besonderes und empfanden das als den Beweis ihrer Liebe.

Italien ist einfach nur anders, hier berührt sie die Schönheit der Landschaft und schmeckt ihnen die Süße des Weins. Die Gelassenheit der Italiener, ihre Liebenswürdigkeit und die köstlichen Mahlzeiten, die sie mit herzlichen Menschen an langen Tischen speisen, genießen sie sehr.

Der Herbst ist gekommen, im Oktober nach den Ferien ist es Marianne, die nach Holland anruft.

Mit fester Stimme versucht sie dem Freund zu sagen, dass Ali mit einem Herzinfarkt in der Klinik liegt, ganz plötzlich und unerwartet hat es ihn und die ganze Familie getroffen.

Murat's schüchterne Stimme und seine Worte, die nicht erschrocken klingen, schaffen es, Marianne zu trösten.

»Es ist nur der erste Moment, den man noch nicht begreift, macht euch keine Sorgen. Ali ist ein starker Mann, er wird es überleben.«

»Ich hoffe Murat, danke.«

Ali wird gesund, der operative Eingriff und die Medizin, die er nun täglich schlucken muss, helfen. Er ist schnell wieder der Alte und stellt sich die Frage »wieso ist mir das passiert, ich lebe gesund, ich trinke nicht, ich rauche nicht und bewege mich regelmäßig.«

Fragen, die sie belächeln.

Am Anfang des nächsten Jahres, wird Murat achtzig Jahre. Er

möchte Ali, seinen alten Freund sehen und kündigt einen Besuch in Köln an. Ella wird ihn begleiten und seine Tochter, die in der Nähe ihre Tierarztpraxis hat, kommt mit.

Ali stellt den Rakı kalt und bereitet die Köfte. Er ist ungeduldig und neugierig. Längere Zeit haben die Beiden nichts voneinander gehört. Nervös geworden erwartet er den Freund und läuft auf der Straße so lange auf und ab, bis das gelbe Nummernschild des Wagens aus Holland zu sehen ist. Die Wiedersehensfreude ist so groß, dass es nicht nur den Männern Tränen in die Augen treibt.

Die junge Frau am Lenkrad ist Leila die Tochter Murats. Zuletzt hat Ali sie als Kind gesehen; heute hilft eine sympathische junge Frau ihrem alten Vater und der Mutter aus dem Wagen. Ein zerbrechlicher Mann, nicht mehr klein und dick, abgemagert und auf Hilfe angewiesen, steht in gebeugter Haltung vor ihnen. Die Hände zittern, die Beine kann er nicht mehr ruhig halten. Murat ist gekommen und begrüßt seinen alten Freund Ali mit einem verschmitzten Lächeln.

Beide lächeln und in ihren Gesichtern zeigen sich Momente der Erinnerungen. Geschlossene Augen, geballte Fäuste, sanftes Lächeln, lassen sie jung erscheinen. Erfüllt mit Emotionen sehen sie wunderschön aus.

Seelenverwandt

Da, etwas außerhalb der Stadt, der Staudamm, die Oase, mit schattenbringenden Bäumen und grünen Grasflächen die in der «heißen Stadt« Erholung versprechen. Selbst Kühe und Schafe kühlen sich die Füße im See.

»Ob sich die Paare unter den schützenden Bäumen immer noch einen Platz für die Liebe suchen?«, fragt der Mann mit einem unschuldigen Blick auf seine Frau.

Die Fahrt im Auto mit weit geöffneten Fenstern führt weiter durch Kiefernwälder. Die hohen Bäume lassen die Sonne durchblicken und bieten gleichermaßen Schutz vor der sengenden Hitze. Grillen zirpen unermüdlich und machen den Wald zu einem Konzertsaal. Zwischen den Bäumen taucht immer wieder die Farbe Blau auf, die Farbe des Himmels und des Meeres, kaum voneinander zu trennen. »Wie schön, wie herrlich und wunderbar«, es wird nicht langweilig die Worte mit leichtem Nicken und verzauberten Augen zu wiederholen. Der Duft von Harz und Kräutern zieht wie ein Filter in die Nase und reinigt sie, ist erfrischend und betörend zugleich.

Solange, bis sie Istanbul erreichen und die Stadt auf einen Schlag zeigt, was sie zu bieten hat. Verschwenderisches Gold auf den Kuppeln der Moscheen und Paläste. Unendlich viele Blüten entlang des Bosporus. Das Meer, das Tuten der Schiffe, das Geschrei der Möwen und die heiseren Stimmen der Straßenverkäufer erfüllen die Stadt mit einer Lebendigkeit, der man sich nicht entziehen kann. Es ist heiß und stickig.

Viele Menschen mit müden Blicken fallen ihnen auf und sie wehren sich gegen Neugierige und Freche, die zu nahe kommen.

Immer mit der Angst sich im Gedränge zu verlieren, gehen sie Hand in Hand. Mit einem Gefühl der Sicherheit im Gewühl der Menge. Wie lange noch macht es Spaß sich dem üppigen, maßlosen Angebot zu widmen?

Sie betrachtet nicht mehr, schaut vorbei und richtet den Blick in die Ferne. Es ist genug, die Eindrücke sind zu viel. Sie löst die Hände und geht einen Schritt langsamer, will sich zurückziehen von der Hitze, dem Gestank und den Stimmen, deren Worte sie kaum versteht.

Die Katzen schleichen unangenehm um die Beine und Hunde liegen müde mitten auf den Wegen.

Es ist später Nachmittag, die Schatten werden länger. Trägheit bringt ein wenig Ruhe.

Dann sieht sie ihn, den Mann auf dem Boden. Ein Bettler oder ist er nur müde? Lässig ist ein Bein ausgestreckt, das andere als Sitz benutzt. Der Rücken, leicht gebeugt, stützt sich an die Häuserwand. Die Ärmel seines weißen Hemdes sind hochgekrempelt, die Hände geöffnet oder werfen eine Münze, so genau kann sie es nicht erkennen. Feingliedrige Finger mit durchgehenden bläulichen Adern bemerkt sie sofort. Das Gesicht des Mannes hält sie gefangen, sie schaut in Augen, deren Blick sie niemals wieder loslassen wird. Es ist ihr nicht fremd. Der Mann schaut sie an und es ist so, als berührten sich ihre Seelen. Nichts scheint ihnen unbekannt. Es ist als wüssten sie alles voneinander, als gäbe es nichts zu verbergen. Sein Lächeln berührt ihre tiefsten Gefühle, es gilt nur ihr und verspricht alles. Der Mann hat sie wahr genommen, verliert sich in ihren Augen, vergisst sich darin, wünscht, alle Zeit der Welt fest zu halten und macht sie zu seiner Geliebten. Von Zärtlichkeit überwältigt möchte sie ihn anfassen, seine grauen, kurz geschnittenen Haare durchwühlen, die Bartstoppeln streicheln und seine Lippen berühren.

Für die Ewigkeit bewahrt sie sein Lächeln, erwidert es und weiß, dass sie weitergehen wird. Noch einmal dreht sie sich zu ihm, sehnsuchtsvoll findet sie seinen Blick. Er lächelt, die Trauer in seinen Augen nimmt sie wahr.

Emanzipation

Lorenz Schmitz ist ein stolzer Name. Wer heißt schon so? Gut, in Köln gehört der Name Schmitz zum Hochadel, doch Lorenz?

Dass Frau Schmitz auf die Idee kam, ihren Sohn Lorenz zu nennen, wo sie selbst auf den Namen Ännchen hört und ihr Mann kein Lorenz Senior ist, verwundert schon.

Niemand fragt nach, hebt höchstens ein wenig die Augenbraue, wenn der Name Lorenz fällt. Erst als aus Lorenz ein Lori wird, ist es besser. Lori ist klein und kompakt, der stämmige Körper ruht auf kurzen stämmigen Beinen. Der Hals ist zu kurz für den mächtigen Kopf, aber sein Lächeln, das fast von einem Ohr bis zum anderen reicht und mehr ein Grinsen ist, macht aus ihm einen äußerst sympathischen Jungen, dessen Schüchternheit im Allgemeinen die Herzen der Damen aus der Nachbarschaft in Entzückung geraten lässt. »Ach wie niedlich, der kleine Kerl aus dem Erdgeschoss« ist dann zu hören. Und es ist nicht sicher, wie Lori das sieht.

Lori wohnt im gleichen Haus wie Marianne. Ihre Wohnungen liegen sich im Erdgeschoss gegenüber, also vis-a-vis.

Des Weiteren wohnen noch sechs Familien in den Etagen darüber. Schönes dunkles Holz der breiten Treppenstufen und verhaltenes Licht aus einfachen Glühbirnen wirken majestätisch und auch ein wenig unheimlich. Es ist immer leicht dämmrig im gesamten Treppenhaus, der perfekte Schutz für die Kinder, die möglichst leise und unauffällig mit klopfendem Herzen die Stufen hinauf eilen und keinem Hausbewohner begegnen wollen. Den Jubel noch unterdrückend und mit einem herrlichen Lustgefühl, rutschen sie auf dem blank geputzten Handlauf bis zur eigenen Wohnungstür hinunter. Hier erst lassen sie dem Jubelschrei freien Lauf, hier ist ihr Terrain, wo niemand etwas zu sagen hat. Sie sind gute Freunde, Lori und Marianne. Sechs Jahre alt sind sie und warten auf den baldigen Eintritt ins erste Schuljahr.

Dass Marianne einen Kopf größer, schlanker und beweglicher als Lorie ist, fällt nur den Erwachsenen auf. Wissend tauschen sie sich untereinander aus, »das gibt sich noch irgendwann, spätestens in der Pubertät macht Lori einen Schuss und wird ein strammer Lorenz.« Was immer das zu bedeuten hat. Den Kindern ist es egal.

Was Marianne nicht so egal ist, ist das Spiel mit der elektrischen Eisenbahn. Das Geschenk, das vor einigen Jahren unter Lori's Weihnachtsbaum gelegen hatte, findet ihre größte Bewunderung. Eine elektrische Eisenbahn, deren Schienennetze zu jedem Geburts- oder Namenstag, zu Ostern oder auch außerhalb der Reihe vergrößert wurden. Zubehör wie Halteschilder, Wartehäuschen, kleine Häuschen mit roten Dächern, Bäume, Zäune, Figuren, Ampeln, Trillerpfeife und Schaffnertasche sind Lori's ganze Stolz .

Lori ist der Besitzer und er hat das Sagen. Er bestimmt, wohin die Reise geht, wer ein- und aussteigt; die Trillerpfeife betätigt er allein und sogar einen Unfall verursacht er selbst. Der halbe Wohnraum ist mit der Anlage ausgefüllt und wandert turnusgemäß am Wochenende zwischen den Wohnungen hin und her. Die Kinder sind beschäftigt, es dauert seine Zeit, bis alles so aufgestellt ist, wie Lori es für richtig hält. Marianne ist der Handlanger, sie reicht Schienen an, stellt die Häuschen zu einem Dorf zusammen und darf nach getaner Arbeit, mit ihrer Puppe auf dem Schoß, am Rande der Schienen sitzen und den vorbeifahrenden Zügen winken. Lori hat das Kommando, mit hochrotem Kopf verfolgt er was auf den Schienen passiert, rangiert die Waggons, hebt Verunglückte wieder auf das Gleis und beobachtet, dass der Lokführer die Verkehrsregeln beachtet. Er bedient die Trillerpfeife und ahmt die Geräusche der Dampflok mit aufgeblasenen

Backen und pustenden Geräuschen nach. Marianne sitzt brav mit Puppe Peter und betrachtet erst aufmerksam, dann immer müder werdend, das Geschehen. Es ist ihr langweilig und schmeichelnde Worte mit der Bitte, die Plätze doch einmal zu tauschen, werden mit großer Entrüstung abgewiesen. Mädchen als Lokführer, wo gibt es denn so etwas. An jedem Wochenende schöpft Marianne neue Hoffnung, doch vergeblich.

Die Adventszeit verändert alles. Am Samstag vor dem ersten Adventssonntag werden die ersten Weihnachtsplätzchen gebacken. Mariannes Mutter bereitet den Teig zu, legt die Backförmchen darauf, rührt die Schokoladenglasur und verzaubert die Küche in ein Paradies mit Leckereien und Gerüchen. Vanillekipferl, Spritzgebäck, Zitronenguss und Schokostreusel locken Lori wie einen schleichenden, hungrigen Löwen in die Küche. Seine Augen glänzen und die Finger in all die Leckereien zu stecken, ist die größte Versuchung.

Die Eisenbahn ist schon aufgebaut und Marianne wird ungeduldig.

Sie weiß, was heute passiert. Jedes Jahr das Gleiche.

»Komm Lori, lass uns anfangen«, ihre bittende Stimme scheint Lori nicht zu hören.

»Komm Lori, worauf wartest du?« Marianne drängt, freut sich und ist bald am Ziel.

Die Mutter lächelt und seufzt gleichzeitig:»Eigentlich bräuchte ich eine Hilfe, aber schade, Marianne spielt viel lieber mit Lori.«

Sie steckt ein etwas missglücktes Sternchen aus Teig in den Mund und macht den Backofen an. Lori verlässt langsam die Küche, sieht Marianne mit der Puppe auf dem Boden sitzen. Die startbereite Eisenbahn lockt heute gar nicht. Dem Duft aus der Küche kann er nicht widerstehen und der Blick dort hinein lässt ihm keine andere Wahl.

»Marianne kannst du mich heute vertreten, ich muss deiner Mutter in der Küche helfen. Plätzchen zu backen ist sehr anstrengend, aber für mich kein Problem, ich mache das wirklich gerne.«

Geschafft, es ist soweit und Marianne unterdrückt die aufkommende Freude, schaut Lorenz mit verständiger Miene an. Mit »Ich verstehe, geh nur«, wird sie in den nächsten Stunden endlich die Leidenschaft für die Eisenbahn ausleben können. Jetzt ist sie der Lokführer, der Weichensteller, der Fahrkartenkontrolleur und Herrscher über die Welt der fahrenden Züge. Sie liebt das Geräusch der kleinen Räder, wenn sie über die Schienen sausen. Sie lässt zwei Waggons aneinander geraten und behebt den Unfall. Sie fährt schnell und langsam, pfeift an den Haltestellen und stellt die Fahrscheine aus. Marianne ist in ihrem Element, was Lori kann, kann sie schon längst.

Und Lori?

Der hockt in der Küche, trägt ein kariertes Küchentuch als Schürze, dreht den Teig durch den Wolf und sticht Herzen und Sterne aus dem ausgerollten Teig. Seine Wangen glühen, der Mund ist verschmiert vom Probieren des Zuckergusses und der Schokoladenstreusel. Er füllt die fertigen Plätzchen in die Blechdose und beobachtet den Backofen. Lori hat genug zu tun und schafft alles mit einem höchst vergnüglichen Lächeln.

Schneewalzer

Erwartungsvoll sitzt die Gesellschaft im Festsaal der Gaststätte. Selbstverständlich in festlicher Kleidung; bei den Älteren die bevorzugte Farbe dunkel bis hell, blau oder gedeckt, beige-braun. Die Herren tragen anthrazitfarbige Anzüge und gestreifte Krawatten. Man hat sich begrüßt, der Sektempfang zieht sich hin, der small talk ist beendet. Denen man nicht begegnen will, dreht man den Rücken zu, schaut diskret an ihnen vorbei und das lange Stehen ist in den Beinen zu spüren.

Die jungen Leute stehen lässig, entweder mit einer Hand in der Hosentasche oder mit einem Glas in der Hand. Sie unterhalten sich mit ihren Altersgenossen, haben sich einander zugewandt und versuchen vorsichtig, ihrem Spott Gehör zu verschaffen.

Auch sie haben sich in Schale geworfen, die jungen Männer gezwungenermaßen mit falsch gebundener Krawatte und der Kombination Jeans zu weißem Hemd und Jackett.

Die Mädchen bleiben den kurzen Kleidern treu, Tüll und eine Blume als Accessoire reichen für die nötige feierliche Note. Sie sind Enkelkinder, Nichten und Neffen des Jubelpaares. Sie kennen sich vom Hören und Sagen und von den Geschichten der Eltern. Auf deren Wunsch oder Anordnung sind sie meist mit mehr oder weniger Lust erschienen. Insgeheim aber neugierig auf die »Unbekannten Verwandten« und gegen ein gutes Essen inklusive Nachspeise, Kuchen und Getränke haben sie nichts einzuwenden. Sie lernen sich kennen. »Ach, du bist die Marion und du der Robert? Dich hab ich mir ganz anders vorgestellt. Edith, unsere Mütter sind Cousinen und dein Vater ist der Onkel von meinem.«

Nach Ähnlichkeiten wird gesucht und die Nase vom kleinen Tom ähnelt wirklich der von Onkel Jakob. Sie kichern und lachen, suchen in den Gesichtern der Eltern, die, schon leicht müde, an den Tischen vor der Tanzfläche gelehnt, auf das Öffnen der Saaltüre warten.

Heute ist die Goldene Hochzeit von Tante Loni und Onkel Heini, sie sind das Jubelpaar.

Wieso Jubelpaar? Hatten sie 50 Jahre lang gejubelt oder jubeln sie, weil die Zeit langsam dem Ende zu geht? Diese Frage stellt Ali seiner Freundin Marianne. Sie hat ihn mitgenommen zu dieser Feier und ist ein wenig nervös. Wie wird die Verwandtschaft auf ihren ausländischen Freund reagieren?

Ali ist interessiert, schaut genau und zieht Vergleiche zu den Familienfesten in seiner Heimat. Dort ist es sehr viel anders, später will er Marianne davon erzählen.

Jetzt klopft Onkel Toni mit dem Löffelchen gegen sein Glas, es wird ruhiger und von irgendwo hört man leise Musik. »Aha, der Schneewalzer« flüstern die Älteren und nicken sich bestätigend zu. Die Türe öffnet sich, dann schreiten sie, begleitet von den Walzerklängen in den Saal- Onkel Heini und seine Loni. Arm in Arm, der Bräutigam und die Braut. Sie schreiten langsam, stützten sich gegenseitig, Tante Loni im knöchellangen, burgunderfarbenen Kleid, passend zur Farbe der dauergewellten Haare, auf denen ein goldenes Diadem steckt. Onkel Heini im silbergrauen Anzug, einem weißen Tuch in der Brusttasche und burgunderfarbener Rose am Revers. Seine schwarzen Haare sind in Wellen gelegt. Den Kopf hält er gebeugt, leicht angestrengt scheint er der Musik zu lauschen. Erst als diese lauter wird und er den Refrain erkennt, dreht er sich zu seiner Loni, fasst sie mit einer wundervollen Geste um die Taille, hebt mit zwei Fingern ihr Gesicht zu seinem und dreht die Füße zum ersten Tanzschritt.

Er lächelt.

Die beiden bewegen sich langsam, drehen sich, schmiegen sich leicht aneinander und versinken in eine Welt, in der sie seit 50

Jahren miteinander leben. Während Lonis Stirn in einer schmalen Falte liegt, öffnen sich ihre Lippen, als erinnere sie sich nur an die Süße der vergangenen Jahre.

Onkel Heini lächelt!

Vielleicht erinnert er sich an die erste gemeinsame Nacht, vielleicht fühlt er noch das Zittern und Beben, vielleicht überwältigt ihn noch der erste Kuss, der erste Streit und die Geburten der Kinder. Es kann sein, dass er an die Morgen denkt, wo sie gemeinsam den ersten Kaffee trinken, an die Abende, die er mit seinen Freunden in der Kneipe verbrachte. Das ganze Leben mit Loni, in diesen fünf Minuten des Schneewalzers. Zum Erinnern bleibt Zeit genug, was zählt, ist dieser Moment mit seiner Frau im Arm und diesem wunderbaren Gefühl in der Brust. Vergessen sind die Wehwehchen des Alltags; die Liebe so wie in Zeiten der Jugend entflammt noch einmal. Es lohnt sich allemal sie zu genießen.

Heinis Lächeln scheint die Aufforderung für die Gäste zu sein. Die Tanzfläche füllt sich. Glückselig halten sich die Gäste in den Armen, wiegen ihre Körper, verzückt, mit zauberhaften Blicken in den Augen tanzen sie.

Es wird eng, die jüngeren Leute sind hinzugekommen, haben Lust bekommen, sie hören den Schneewalzer zum ersten Mal.

Ali hält Marianne im Arm und versucht den Dreivierteltakt. Es macht ihm großen Spaß, das Lächeln breitet sich aus, wird zu einem Lachen, immer fröhlicher, lauter und jubelnd.

Emil und Else

Es muss ordentlich zu gehen in diesem Haus, dem letzten in der Straße, bevor ein Feldweg in den Wald mündet. Das Haus, am Hang gelegen, ruft bei vielen Spaziergängern ein bewunderndes »Oh, wie schön« hervor. Durch ein geöffnetes Fenster hat Else diesen Ausspruch des Öfteren gehört und sich ein stolzes Lächeln gegönnt. Es gefällt ihr, dass die Leute draußen stehen bleiben und den Blick auf die tadellos weißgestrichene Fassade richten, die geputzten Fenster wahrnehmen, die jägergrünen Fensterläden und die jägergrüne Haustüre bestaunen sowie ihren prachtvollen Garten bewundern. Ein Garten, so gepflegt, dass man ein schlechtes Gewissen bekam, dachte man an den eigenen Garten mit all den blauen Glockenblumen auf dem gesamten Rasen, den man mit Liebe und Stolz gesehen hatte. In dem man das ganze Jahr über Schneeglöckchen und Krokusse, Tulpen und Rosen, Phlox und schließlich die Früchte der Obstbäume mit liebevollen Augen betrachten und genießen konnte.

Man liebte alles so lange, bis man diesen gepflegten Garten gesehen hatte. Dann kam dieses unangenehme Gefühl, das einen schnell mit Schaufel, Schere und Harke in den Garten rief, mit dem Gedanken, alles verändern zu müssen. Die Blumen sollten akkurat, nach Farben geordnet, in neuen Beeten angelegt werden. Dass der Rücken schmerzt und spöttische Blicke das Tun begleiten, muss aus zu halten sein. Die Natur geht zum Glück nach einiger Zeit mit eigenen Regeln als Sieger hervor und schafft es gleichzeitig, einem das Gefühl zu geben, ein freiheitsliebender Mensch zu sein, der die Dinge ohne Zwang entfalten lässt.

Das gepflegte Haus steht in einem Dorf ganz am Ende der Straße am Hang mit Ausblick auf den Rhein. Es ist ein Haus, das neugierig macht, in das man eintreten und erfahren möchte, wie es sich darin leben lässt.

Der Mann, der im Garten die bräunlich gewordenen Rosenblätter entfernt, hat mit seinem milden Lächeln und dem gedankenverlorenen Blick etwas kindlich Naives, fast infantiles; er stolpert ein wenig über die akkurat gelegten Steine, die zu einem weiteren Blumenbeet führen und streichelt liebevoll die Pflanzen.

Sein Name ist Emil Müller; gemeinsam mit seiner Frau Else bewohnt er das Haus und wartet gerade darauf, dass sie vom Einkauf im Supermarkt zurück kommt. Ein wenig versteckt hinter dem Rhododendron-Strauch kann er die Straße gut beobachten. Sein Kopf sitzt zwischen gebeugten Schultern so tief, dass der Hals nur zu erahnen ist. Die braune Cordkappe hält er in den Händen, seine wenigen stoppeligen, silbergrauen Haare fallen zwischen den weißen Blüten fast nicht auf. Er wippt leicht auf den Zehenspitzen, reckt sich ein bisschen, als er Else mit müden Schritten die Straße hochkommen sieht. Sein Lächeln wird zu einem Kichern, bevor er schnell durch die Hintertür ins Haus verschwindet. Ein kleiner Junge, der nicht ertappt werden will, wartet ab, bis es klingelt und schlurft dann gemächlich, um die Tür zu öffnen. Endlich, seine Frau, schwer bepackt mit Einkaufskörben ist froh, diese ablegen zu können. Sie schnappt nach Luft. Mit einem tiefen Seufzer lässt sie sich auf den Küchenstuhl fallen, schüttelt die Hände aus und wischt sich mit einem großen, weißen Taschentuch über die Stirn, bevor sie im Bad verschwindet.

Liebend gern macht sich Herr Müller daran, das Gekaufte auszupacken. Er hebt die bunten Packungen ins Licht und freut sich über die vielen Sonnenblumen, die natürliche Gesundheit versprechen und zieht genießerisch die Nase hoch, als er den ersten Spargel der Saison entdeckt. Sein Gaumen schmeckt bereits das zarte Gemüse in der goldgelben Soße, das, mit neuen Kartoffeln und einem leckeren Stück Lammfilet, die perfekte Mahlzeit für ihn bedeutet. Seine Frau weiß eben, was ihm schmeckt. Rhabarber und Erdbeeren platziert er neben die Spüle, so dass Else gleich mit der Zubereitung beginnen kann. Die kalte Packung, die er in einem weiteren Einkaufsbeutel entdeckt, kann nur die Eiscreme mit Mandeln und Kirschen sein, die er sich gewünscht hat.

»Du hast dich um den Garten gekümmert?« Else hat es gleich bemerkt; zum Glück bemerkt sie nur die vergilbten Blätter, die er in den Kompost geworfen hat und nicht die Ungeduld, die ihn überkommt, wenn sie so lange fort ist. Er liebt es nicht, allein zu sein, ohne Else fühlt er sich nicht wohl, fehlt ihm etwas. Zufrieden begibt er sich auf seinen Sessel im Wohnzimmer, schiebt sich in das Polster, das sich im Laufe der Jahre seinem runden Rücken angepasst hat. Wie immer stellt er die Füße auf das kleine Bänkchen, das als Verlängerung des Sessels dient. Else hatte diese Idee, es ist bequem und Emil will es nicht mehr missen. Nach seiner ersten Entrüstung, das so etwas nur für alte Männer sei, erinnert er sich an ihr lächelndes »probier es mal«.

Natürlich gewöhnte er sich schnell daran. Die Beine ausgestreckt, blickt er über seinen Körper, über die Knöpfe der grauen Strickjacke auf seinem Bauch, über die graue Hose, die mit der Bügelfalte seine Beine bedeckt, auf die grauen Socken und die grauen Filzpantoffeln. Neben ihm die graue Wolldecke, die er mit sicherer Handbewegung über sich legt, bevor er die Augen zu einem kleinen Nickerchen schließt. Jedes Mal beschäftigt ihn noch kurz der Gedanke, weshalb Else nur diese Vorliebe für die Farbe Grau hat? Sie besorgt alles für ihn, was nötig ist; wahrscheinlich ist es einfach bequemer, alles in der gleichen Farbe zu kaufen. Das ist für ihn plausibel und welche Rolle spielt schon die Farbe. Bevor er einschläft, hört er noch Geräusche aus der Küche.

Das Rauschen des Wasserhahns, das Zuschlagen der Schränke und Aufziehen der Schubladen, der Beweis, dass Else in der Nähe ist. Manchmal hört er sie leise summen oder auch stöhnen. Dann überkommt ihn dieses zufriedene Gefühl, das er zum Einschlafen braucht.

Else küsst ihm auf den Kopf, »Mittagessen ist fertig«, wieder einmal war es ihm nicht gelungen, mit dem Mittagsschlaf bis nach dem Essen zu warten.

Er liebt es, mit diesem mütterlichen Kuss geweckt zu werden und bleibt noch ein Weilchen liegen, bis Elses Schritte wieder zu hören sind. Ihr Seufzen und die kurzen Kommentare, die sie von sich gibt, wenn sie mitteilt, was sie gerade macht.

Alles unbedeutend, das ihm aber viel bedeutet, genauso viel wie das Ritual, dass sie ihm vor jeder Mahlzeit über die wenigen Haarstoppeln streichelt.

Else erinnert sich dabei an die Zeiten, als sie ihm verliebt in seine vielen dunklen Haare gegriffen hat. Seinen Nacken zu berühren, hatte sie immer erregt, jetzt schmunzelt sie nur noch darüber.

Da sind einige Dinge, die sie zum Lachen bringen. Die Schnur des Staubsaugers, die sich selbständig aufzieht oder die Rollläden an den Fenstern, die zur eingestellten Zeit in Bewegung geraten. Sie freut sich über die gebügelten Hemden und Blusen, die sie nach getaner Arbeit hübsch nebeneinander auf Kleiderbügeln im Wohnzimmer an die Schranktüren hängt, »schau mal Emil, wie Liebespaare sehen sie aus« sagt sie dann mit verklärtem Augenaufschlag, »aber ach, vielleicht auch nur wie Geschwister.«

Die Stunden im Hause sind ausgefüllt für Else, irgendetwas zu tun findet sie immer. Nicht nur in der Küche, im gesamten Haus ist sie von morgens bis abends wie ein Wiesel unterwegs. »Ich habe zu tun Emil, ich bin noch nicht fertig, die Wäsche, der Fußboden, die Fenster, das Kochen und Einmachen, das Flicken und Nähen« sind ihre Kommentare.

Ebenso emsig bewegt sie sich, wie in der Zeit, als sie Sekretärin an einer Grundschule war.

Da hatte sie sich verantwortlich gefühlt für das Wohlergehen der Schüler und Lehrer. Hatte Pflaster auf Wunden geklebt, Tränen getrocknet und Nasen geputzt, bei Missgeschicken getröstet und sich über kleine Erfolge gefreut. Else, der gute Geist, der immer zur Stelle war. Mit Else hatte die Woche begonnen, von Else verabschiedete man sich ins Wochenende. Nicht nur Kaffee für die Lehrer und Bonbons für die Kleinen hatte sie parat, für jedes Problem öffnete sie Ohren und Herz. Die Brille, die mit einer goldenen Kette um den Hals baumelte, hatte beim aufsetzten die Sicht aus ihren hellblauen Augen geschärft und der glitzernde Goldrand der Brille ihren teilnehmenden, liebevollen Blick noch verstärkt. Niemand hatte sie je traurig oder angeschlagen erlebt, dazu war keine Zeit. Else war ausgefüllt mit der Aufgabe, da zu sein, wenn sie gebraucht wurde.

Wollte sie entspannen, ging sie in ein Konzert. Sie liebte es, im Konzertsaal Ruhe und Abstand zum Alltag zu gewinnen und besaß ein Abonnement.

Nichts war schöner als auf den gepolsterten Stühlen im Konzertsaal zu sitzen, dem leisen Stimmengewirr der Anwesenden zuzuhören, das Kommen der Musiker in dunkler Kleidung und mit glänzenden Instrumenten in der Hand zu beobachten. Die Ordnung im Orchester, Geigen rechts und Kontrabasse links, alle Stimmen der Streicher und Bläser unterschiedlich, doch auch gleichberechtigt nebeneinander, so wie es der Kontrapunkt vorgibt, empfand sie als wunderbar. Das gezupfte A der ersten Geige, die Aufforderung, die Instrumente als Auftakt für genussvolle Stunden zu stimmen, hatte sie dankbar und ehrfürchtig angehört. Entspannt im Sitz zu lehnen, die Augen geschlossen, sich einzulassen auf die Vielfalt der Musik, ohne zu wissen, was auf dem Programm gestanden hatte. Überrascht zu werden, hatte sie geliebt, Vorlieben für bestimmte Stücke verachtet; sogar als ungerecht empfunden. Für sie gab es nicht die guten oder weniger guten Stücke, die Musik hatte sie unterhalten, egal ob mit sanften, temperamentvollen oder überschäumenden Klängen. Aufgeregt und mit großer Erwartung ließ sie sich auf alles ein und war gespannt, in welchen Zustand das Konzert sie versetzen würde.

Die ins Ungewisse führenden Phasen, die ihren Puls rasen ließen, die sie von jedem Druck befreiten und das Gefühl einer unendlichen Freiheit gegeben hatten und das Adagio, dass sie in himmlische Sphären führte.

Else erinnerte sich daran, beglückt nach Hause gegangen zu sein und lange Winterabende oder helle Sommernächte träumend verbracht zu haben.

Dem Glück ihres Lebens begegnet war sie an dem Tag, als der freundliche Herr, der neben ihr auf den roten Sitzpolstern saß, ihre Hand nicht los ließ, die sie vor lauter Ergriffenheit bei dem Klarinettenkonzert festgehalten hatte. Sein Angebot, die Rührung mit einem Glas Sekt wieder in normale Bahnen zu lenken, hatte sie überraschend leicht angenommen und so Emil Müller kennen gelernt.

Wie selbstverständlich wurden von nun an die Konzerte gemeinsam besucht. Der anschließende Sekt wurde bei Else daheim getrunken, wo sie auch stets eine vorzügliche Mahlzeit vorbereitet hatte. Außerdem wurde sie zu einer geduldigen Zuhörerin, wenn Emil, der Lehrer für gehörlose Schüler, von seiner Tätigkeit an der Schule berichtete.

»Das muss ja ein ruhiger Job sein«, hatte sie vermutet und die bemitleidenswerten Gehörlosen mit ihren lauten und unüberhörbaren Kleinen in der Grundschule verglichen.

Emil hatte sie eines Besseren belehrt; es war kaum zu glauben, doch eine Geräuschkulisse war trotz der Gehörlosigkeit der Schüler nicht ausgeschlossen. Die wenigen unartikulierten Laute der Kinder waren nicht immer angenehm und Emil hatte sie manchmal wie einen fast unerträglichen Schmerz empfunden.

Gebärden, die Wut und Ärger ausdrückten, mussten recht heftig sein. Da würde auf den Boden gestampft, Stühle geworfen und Türen zugeschlagen. Selbst zärtliche Laute, die schüchtern von den ersten verliebten Jugendlichen kamen, klängen oft angestrengt herb, abgehackt und zerstörerisch. »Ein Glück, dass die Jugendlichen sich selbst nicht hören «, so Emils Meinung dazu.

Auch für ihn waren die Konzertbesuche der Ausgleich zu dem stressigen Teil seines Berufes. Bevorzugte Komponisten, Epochen oder Musikstücke hatten beide nicht, jeder Stil, jeder Klang gab ihnen die Möglichkeit, den Alltag mit Leichtigkeit zu nehmen.

In der Wohnung von Else war es nach den Konzerten gemütlich. Emil legte das Jackett ab, öffnete den obersten Kragenknopf und ließ Krawatte und Schuhe an der Garderobe. Er schlüpfte in die grauen Pantoffel, die Else besorgt hatte und rieb seine Hände, bevor er genießerisch seinen Platz am Esstisch einnahm.

Alles war bestens vorbereitet, der Wein stand zur Auswahl, rot zu dunklem, weiß zu hellem Fleisch, von Else mit hochrotem Kopf serviert und von Emil mit vielen Komplimenten bedacht. »Es geht uns doch gut« nickte Emil mit erhobenem Kopf, zog den Duft des Essens ein und aß mit großem Appetit.

Verschämt und stolz zugleich nahm Else neben ihm Platz und dachte an die Zukunft mit diesem Mann, der ihre Mühe so zu schätzen wusste. Zudem sah er sehr gut aus, ein Mann mit einem »gepflegten Äußeren«, wie man sagt.

Dazu gehörten auch die widerspenstigen Haare, die er zwar mit strengem Bürsten in den Griff zu bekommen versuchte, die sich aber nicht zähmen ließen und gerade im Nacken so rührend kindlich wirkten, dass Else sie am liebsten mit lustvoller Zärtlichkeit berührt hätte.

Sie gewöhnten sich aneinander und so war es ganz natürlich, den weiteren Lebensweg miteinander zu gehen, in eine gemeinsame Wohnung zu ziehen, Kosten zu sparen und schöne Dinge zu erleben.

Letzteres beschäftigte hauptsächlich Else. Sie träumte von Umarmungen, Liebesschwüren und heißen Küssen. Doch selbst bei diesen Gedanken senkte sie den Kopf und schloss verschämt die Augen. Emil dagegen war Feuer und Flamme. Von einer Frau versorgt zu werden, war schon immer sein Wunsch. Da er seine Eltern früh verloren und kaum Kontakt zu Verwandten hatte, war die Bildung einer eigenen Familie das Beste, was ihm passieren konnte. Mit Else fand er das große Los, mit ihr zusammen zu sein, machte ihn heiter und glücklich; wahrscheinlich war er verliebt. Jedenfalls klopfte sein Herz, wenn er sie sah und sein Verlangen, sie in den Arm zu nehmen, wurde dringender. An dem Tag, als Emil zwischen Hauptgang und Dessert die entscheidende Frage stellte, hatte Elses »Ja« nicht bescheiden oder gar schüchtern geklungen, es war die Krönung der entstandenen Liebe zu einander.

Natürlich waren sie sehr aufgeregt, sie ließen sogar einige Konzerte ausfallen, hatten alle Hände voll zu tun, eine schöne Hochzeit zu arrangieren. Auch eine gemeinsame Wohnung einzurichten war eine große Herausforderung, Else blühte auf wie eine Rose. In der Schule erschien sie mit glühenden Wangen und freute sich darauf, ihr Glück den Lehrern und auch den Kindern mitzuteilen. Bei dem »Herzlichen Glückwunsch« ,das ihr von allen Seiten zugerufen wurde, hätte sie fast das gesamte Kollegium zu diesem besonderen Tag eingeladen.

So sachlich wie möglich teilte Emil seinen Kollegen und den Schülern diese Neuigkeit mit. Dass sie ihm freundschaftlich auf die Schultern geklopft, die Daumen in die Höhe gestreckt und die Lippen zu breitem Lachen verzogen hatten, verstand er nicht gleich, hatte ihn aber mit Stolz erfüllt. Man hatte ihn wahrgenommen, sah ihn mit bewundernden Blicken an. Zu gerne hätte er Else den Kollegen vorgestellt, vielleicht wäre ein Polterabend die Gelegenheit. Mit gutem Gefühl war er zur Schule gegangen, der Lärm störte ihn gar nicht mehr.

Nachdem ihr neues Zuhause fertig eingerichtet war, jedes Teil am richtigen Platz stand, fand an einem stürmischen Herbsttag die Hochzeit statt. Emil hatte schließlich gemeint, dass eine Feier im kleinen Rahmen ausreichen würde und er seine Energie lieber in der Hochzeitsnacht verschwenden wollte. Kichernd hatte sich Else darauf eingelassen und war nicht enttäuscht worden. Die lange Zeit des Alleinseins und die Ansicht von Elses blütenweißem, jungfräulichem Körper ließen Emil über sich hinauswachsen. Die Flitterwochen wurden zu einem wahren Feuerwerk, sie genügten sich und hatten mit erhitzten Gesichtern Gedanken, die sie nicht auszusprechen wagten. Überrascht von einer unbändigen Leidenschaft hatten sie ihre Körper dem Liebesspiel überlassen, ohne zu ahnen, dass sie das weitere Leben hauptsächlich mit Erinnerungen an diese Zeit verbringen würden.

Die Routine bestimmte immer mehr den Alltag, sie gewöhnten sich aneinander und waren nicht unglücklich dabei. Den Traum vom eigenen Haus träumten sie gemeinsam. Jeden übrig gebliebenen Cent legten sie zur Seite und mit Hilfe der Sparverträge, die sie sicherheitshalber schon seit dem ersten Verdienst angelegt hatten, erfüllte sich der Traum mit dem letzten Haus am Hang, wo der Feldweg in den Wald mündet.

Hier lebten sie in der gewohnten Weise, pflegten Haus, Garten und sich selbst. Sie besaßen weiterhin ein Abonnement für die Konzertbesuche und ließen es sich in der Sicherheit eines geregelten Ablaufs gut gehen.

Else brauchte ihre Beschäftigungen und Emil brauchte Else.

Das Rentenalter erreichten sie zum gleichen Zeitpunkt, was zur Folge hatte, dass der Alltag nach Emils Belangen und Wünschen aus gerichtet wurde.

»Mittagessen ist fertig«, Else küsst Emil auf den Kopf, hilft ihm aus dem Sessel, er bewegt sich ein wenig steif, muss erst in die Gänge kommen. Den Duft aus der Küche bemerkt er mit einem lang gezogenen »Hmm«, bevor er genießerisch und, wie immer mit großem Appetit, zu essen beginnt. Das Fleisch hat Else mundgerecht zugeschnitten, obwohl es so zart ist, dass Emil es ohne Weiteres mit den dritten Zähnen hätte beißen können. Erdbeeren mit Schlagsahne runden die Mahlzeit ab, Emil streicht über seinen Bauch und unternimmt einen Verdauungsspaziergang durch den Garten. Else bindet die Schürze um, räumt in der Küche auf und versucht, den Schmerz in den Beinen mit wippenden Bewegungen zu unterdrücken.

Sie freut sich, dass die Sonne scheint und sie gleich auf dem Liegestuhl im Garten die Beine ausstrecken kann.

Emil wird sich neben sie setzen und seine Wünsche für das Essen am bevorstehenden Wochenende äußern.

Sie liegen hinter der Pergola, Elsa hat schon das Unkraut entdeckt, das hier und da sprießt und nicht vergessen werden darf. »Immer dieses Unkraut« stöhnt sie und macht Emil darauf aufmerksam. Er nimmt es mit Humor. »Das kleinste Gräslein wächst dem Himmel zu und Du?« Er lacht und streicht Else über den Arm.

Kinderlachen ist vom Feldweg zu hören, sicher ein Schulausflug ins Siebengebirge. Die Beiden verrenken die Köpfe und versuchen, durch die Ritzen der Pergola etwas zu sehen. Tatsächlich läuft dort eine Klasse, wahrscheinlich vierter Jahrgang; Erinnerungen werden wach und die Altersstufe einzuschätzen fällt ihnen nicht schwer. Kichernde Mädchen und tobende Jungen beleben ihr Herz, dass Papierfetzen und Brotreste in den Garten fallen, stört sie nicht. Else wird später alles weg räumen.

»Warum haben wir keine Kinder?«, wie schon so oft, beschäftigt sie sich mit dieser Frage. Gesprochen hatten sie nie darüber, verhütet auch nicht. Jetzt lohnt sich das Gespräch nicht mehr, sie sind zu alt und es wäre peinlich. Mit Emil hat sie genug zu tun. Es ist schon nicht mehr möglich, etwas zu unternehmen. Seit langer Zeit sind sie nicht mehr in einem Konzert gewesen. Die Fahrt dorthin wurde für Emil immer beschwerlicher und seit er sich angewöhnt hatte, Sonntagmorgens das Wohnzimmer in einen Konzertsaal zu verwandeln, wurden die Besuche in der Philharmonie vernachlässigt.

Die neue Angewohnheit Emils war es, sonntags, nach dem Frühstück und dem Spaziergang durch den Garten, den Sessel vor die Stereoanlage im Wohnzimmer und exakt zwischen die Lautsprecherboxen zu schieben. Die Plattensammlung auf einem kleinen Tisch an seiner Seite, die Reihenfolge der Musikstücke genau vor Augen, liebt er es, sich dem Hörgenuss hinzugeben. Anfangs, wach wie ein Dirigent, hebt er die Finger, bewegt sie im Takt und ist ganz Ohr. Im weiteren Verlauf wird er müde und die

Finger ruhen schließlich in seinem Schoß. Der Blick verklärt sich wie zu den Zeiten im Konzertsaal.

Auf Elses Wangen entstehen leicht rosafarbene Flecken. Sie bewegt sich in der Küche wie jeden Sonntag. Emil wünscht um 12:00 Uhr sein Mittagessen und Elses Vorschlag, die Kartoffeln schon am Vortag zu schälen und alles andere vorzubereiten, hatte ihm nicht gefallen. Frisch schmeckt eben besser. Else verstand das, doch ebenso gerne hätte sie neben ihm gesessen und die Musik mit ihm genossen. Sie hätte in Erinnerungen geschwelgt und, genau wie damals, Kraft geschöpft für die Tage der kommenden Woche.

Vor jedem Wochenende die gleichen Gedanken, an jedem Sonntag die gleiche Enttäuschung.

Sie schließt die Wohnzimmer- und auch die Küchentür, Emil will nicht gestört werden.

Trotz des sonnigen Wetters im Garten sitzt Emil grau in grau, erwartungsvoll im Wohnzimmer, seinem eigenen Konzertsaal, die Füße auf dem Bänkchen.

Einen letzten Kuss von Else auf den Kopf gedrückt, lächelt er und deutet mit einer forschen Handbewegung, dass sie das Zimmer verlassen soll.

In der Küche ist alles vorbereitet, die Kartoffeln liegen im Wasser und der Salat im Sieb. Der Braten schmort in der Röhre. Else geht auf Zehenspitzen, bleibt kurz vor dem Spiegel in der Diele stehen, bindet die Schürze ab und gefällt sich in dem rot geblümten Sommerkleid. Sie betrachtet die weißen Haare, die sie gestern noch beim Friseur zu einer Dauerwelle hat drehen lassen. Sie sieht ihre freundlichen, wasserblauen Augen und die schmunzelnden Mundwinkel. Selbst die vielen kleinen Fältchen stören nicht, sie ist zufrieden mit dem, was sie sieht. Leise huscht sie ins Schlafzimmer, öffnet den Kleiderschrank und die darin verschlossene Kiste mit dem Gesparten. Den größten Teil der Scheine steckt sie in die Handtasche und zieht einen kleinen gepackten Koffer unter dem Bett hervor. Die Schuhe nimmt sie in eine Hand, den Hut stülpt sie auf den Kopf, den Mantel legt sie um die Schulter und schleicht durch die Hintertür aus dem Haus und durch den Garten. Mozarts Klarinettenkonzert ist bis auf die Straße zu hören.

Julio

Carmina Burana. Julio in seiner Rolle als sterbende Ente. Die Ente, die klagt und nicht damit einverstanden ist, im Kochtopf zu landen. Ein zu Herzen gehender Gesang und mitleiderregende Gebärden.

Rüdiger auf dem besten Platz, dritte Reihe, erstes Parkett, mittlerer Sitz. Salopp gekleidet im hellen Anzug, gelben Hemd und Krawatte mit farbenfrohen Motiven, die Hände gespreizt, die Fingerspitzen zusammen gelegt, sitzt er scheinbar ruhig und konzentriert in den violetten Polstern des Opernhauses. Seine innere Unruhe und Angespanntheit sind für die Zuhörer nicht bemerkbar. Rüdiger schaut wie gebannt auf die Bühne. Der Chor ist ihm bekannt, jetzt kommt die Stelle für den Solisten, Julio. Er ist die bemitleidenswerte Ente in Carmina Burana.

Julio rudert mit den Armen, dreht und wendet sich, liegt fast auf dem Boden und wirft den Kopf mit einer leidenden Gebärde in den Nacken. Es fällt nicht schwer, dem verzweifelten Ton seiner Stimme zu glauben.

»Das Feuer brennt mich sehr, nun so arg verbrannt, nun so schwarz.

Einst schwamm ich auf den Seen umher,einst lebte ich und war schön.«

Jedes Wort, das Rüdiger hört, jede Bewegung, die er sieht, kennt er genau, hat er ’zigmal bei Julio’s Proben zu Hause, im Wohnzimmer und vor dem Spiegel, mit erlebt. Auch bei den Proben im Opernhaus war er dabei. Rüdiger ist dort beschäftigt, nicht im künstlerischen Bereich, er ist verantwortlich für die Beleuchtung, die Stromkästen und Kabel, ihm untersteht die gesamte Elektrizität.

Die Liebe hat ihn an diesen Ort, in diese Stadt verschlagen. Der Liebe wegen hat er sein früheres Leben hinter sich gelassen und ist ihr von einer Stadt in die andere gefolgt, von einem Land in das andere, von Deutschland nach Brasilien, wo Julio zu Hause war.

Hier, im Norden Deutschlands wohnen sie nun seit einigen Jahren. Zum ersten Mal begegnet sind sie sich in Rüdigers Heimatstadt Köln, wo Julio, gemeinsam mit seinem Freund, dem Pianisten Marcello, nach dem Verlassen Brasiliens untergekommen war.

Die vielen Jahre, die seit dem vergangen sind, haben ihre eigene Geschichte.

Aufgewachsen ist Julio in Brasilien als das Jüngste von zwölf Kindern, er wurde geliebt und gehasst. Sein Vater war als Pastor einer protestantischen Gemeinde der Herr, der mit strenger Hand über das Leben seiner Gläubigen und seiner Familie bestimmte. Zucht und Ordnung, Sitte und Anstand waren das höchste Gebot. Die Adoption von fünf Kindern bescherten ihm Achtung und verschafften den nötigen Respekt. Demütig und gehorsam dienten ihm seine Frau und die Kinder, Unterwürfigkeit war üblich in diesem Land.

Die dunklen Seiten des Lebens musste Julio sehr früh erfahren, er war ein hübscher Junge mit großen olivfarbenen Augen und dunklen lockigen Haaren, die er gerne länger trug. Seine Vorliebe für die Kleider der Schwestern, die er trug, wenn er die Tänze aus den Opern, die er aus dem Fernsehen kannte, nachahmte. Die Lieder, die er in hohen Tönen schmetterte, brachten ihm schnell den Spott der älteren Brüder ein. Sie nannten ihn früh eine Tunte und benutzten ihn für ihre sexuellen Erkundigungen und Vorlieben. Julio war das Sexobjekt ihrer Phantasien und gleichzeitig der Prügelknabe zur Beruhigung des schlechten Gewissens.

Die Beschwerden beim Vater tat dieser mit der Bemerkung ab, dass solche Dinge in einem religiös geprägten Hause niemals geschehen würden. Nach einem Blick auf seinen hübschen Sohn erhärtete sich sein Gesicht.

»Es bleibt nicht aus, dass Jungen und Männer dich begehren, du bist ein schönes Kind, deine Bewegungen, deine weichen, weiblichen Züge und deine Stimme sind aufreizend, da bleibt es nicht aus, dass sexuelle Bedürfnisse geweckt werden. Es ist eine Prüfung Gottes, halte dich zurück und werde ein Mann.«

Die Mutter sah Julio mit den gleichen stumpfen Blicken an, wie sie auch den Vater betrachtete und blieb sprachlos. Trost waren die Geschichten und die Musik der Opern, von denen Julio nicht genug hören konnte.

Nach der Schulzeit drängt es ihn, die Familie zu verlassen. So schnell wie möglich fort von diesem strengen Vater und den verhassten Brüdern. Seine Berufung war es, zu singen; Gesang wollte er studieren, Theater spielen und auf der Bühne stehen. Menschen unterhalten und Beifall empfangen.

Mit dieser Bitte ging er, in der Hoffnung auf finanzielle Unterstützung zu seinem Vater. Des Öfteren hatte er schon mitbekommen, dass aus dem Zimmer des Vaters Musik zu hören war, vielleicht hatte er ja ein Ohr für den jüngsten Sohn.

»Zur Unterhaltung Anderer und zum Ausdruck deiner Bedürfnisse einen Beruf zu wählen, ist nicht gottesfürchtig. Vergiss diesen Unsinn. Deine erste Aufgabe ist es, ein Mann zu werden! Solange du kein Mann bist, ist es das gute Recht anderer Männer, dich als Lustobjekt zu betrachten. Das wäre nur die gerechte Strafe für dein weibisches Verhalten. Du bist geboren, ein Mann zu sein, verhalte dich auch so. Ich unterstütze deine Wünsche nicht.

Deine Zeugnisse sind hervorragend, für jedes andere Studium sind die Türen geöffnet. Beweise mir, dass noch etwas Besseres in dir steckt, als ein weiblicher Abklatsch und Schwächling zu sein. So wie du dich benimmst, bist du nicht mein Sohn.«

Julio hatte verloren, seine Träume würden sich nicht verwirklichen lassen, die Liebe des Vaters würde er verlieren.

Die Liebe dieses allmächtigen Mannes, der ehrerbietig von Allen gegrüßt wurde. Der durch die Kirche schritt wie Gott persönlich. Der gütig zu den Untergebenen war, den Kindern über die Köpfe strich und sich die Hand küssen ließ. Sein Vater, der mit den Brüdern Fußball spielte und den Schwestern Geschichten erzählte. Der mit inniger Liebe die Hände falten und beten konnte. Warum fiel es diesem Mann so schwer, seinen Sohn zu lieben?

Julio würde beweisen, was in ihm steckt. Er wollte ein guter Sohn sein und hatte die Hoffnung, durch ein Jurastudium Recht von Unrecht unterscheiden zu können.

Die Universität in Sao Paulo verließ er nach vier Jahren als Dr. jur.

Seine Pflicht hatte er erfüllt. Der Stolz des Vaters interessierte ihn nicht mehr, den Segen des Vaters lehnte er ab.

Er trauerte um seine Mutter, die inzwischen verstorben war und verabschiedete sich von den Geschwistern. Nach Beendigung seines zweiten Studiums, Musik und Gesang, schaffte er den Durchbruch zum eigenständigen Leben am Teatro Municipal, in seiner ersten Rolle als Schmuggler Dancaido in der Oper Carmen.

Es war noch nicht die Hauptrolle, er sang auch kleinere Rollen und war hin und wieder die zweite Besetzung. Doch er war angekommen. Die Theater war seine Welt und die Bühne sein Zuhause.

Die großartigen Sänger waren seine Vorbilder. Tragödien und Komödien zu spielen, erfüllte er mit unglaublicher Intensität.

Er liebte es, im Theater den Duft der fast modrigen Bühne und stoffbesetzten Sitze zu atmen, durch die Gänge zu laufen und hinter verschlossenen Türen die Stimmen der Kollegen bei den Proben zu hören. Er gehörte dazu, war einer von ihnen. Die Kollegen mochten ihn, umarmten ihn und suchten seine Freundschaft. Julio war ein beliebter Kollege. Bei jedem Fest verstand er es, die Freunde mit seiner unglaublichen Mimik und allem möglichen Sinn und Unsinn zu unterhalten.

Er war der Komödiant, flirtete mit Frauen und Männern gleichermaßen, war bekannt für sein schrilles und lautes Lachen.

Hier konnte er herauslassen, was er lange Jahre unterdrückt hatte. Er hatte seinen Platz in der Welt gefunden, nach dem er sich immer gesehnt hatte, hier konnte er ehrlich und frei sein.

Weibliche Sängerinnen wurden zu seinen besten Freundinnen, mit ihnen konnte er tuscheln und Geheimnisse ausplaudern. Unter den Sängern fand er attraktive Männer, in die er sich verliebte. Mit einer Träne im Auge und einem unwiderstehlichen Lächeln brachte er die Herzen von Allen zum Schmelzen.

Mit Marcello, dem Pianisten und Kajo, dem Buffo verband ihn eine enge Freundschaft. Gemeinsam mieteten sie eine Wohnung, in der sich ihre Bühnenrollen nicht viel vom Alltag unterschieden.

Ihr Zuhause hatte offene Türen für Freunde und Kollegen. Hier fanden lange Gesprächsabende mit heftig lauten Diskussionen statt, genauso wie Partys mit musikalischen Darbietungen. Hier war der Treffpunkt junger Menschen, die entspannt ihre Lebensfreude zum Ausdruck brachten.

Es lief so lange gut, bis Marcello abends, als sie auf dem Balkon die Beine aufs Gelände gelegt, den Feierabend nach einem heißen Sommertag genießen wollten, mit einer Neuigkeit herausrückte.

Marcello, der Hitze wegen nur mit einer knappen Unterhose bekleidet, grinste mit breitem Lächeln, bevor er aufsprang und mit einer flinken Bewegung einen Brief aus dem Höschen zog.

In diesem Brief stand es schwarz auf weiß, das Angebot zu einer Europa-Tournee. Zu mehreren Klavierkonzerten in Deutschland war er eingeladen.

»Bis dahin sind es noch drei Monate, in denen ich üben, üben, üben werde. Gerne nehme ich euch mit, überlegt, denn ihr seid das Einzige, was ich vermissen würde. Ach nein, auch noch die Sonne, die Ananas und das Meer.«

Erstaunte Gesichter, sprachlose Münder und dann war es Julio, der das Schweigen brach.

»Ich komme mit, in welcher Stadt wirst du sein. Ich bewerbe mich sofort an der Oper dort. Auf einen brasilianischen Heldentenor wartet in Europa jede Bühne.«

Kajo zögerte, er hatte eine Verlobte, die er liebte und Eltern, die auf seine Hilfe angewiesen waren.

»Gib mir Bedenkzeit! Für ein Jahr komme ich vielleicht mit. Was ist Sao Paulo ohne euch?«

»Die Reise geht nach Köln, die Stadt ist ein wenig wie Rio, sie ist bekannt für ihren Karneval, da passen wir hin.«

Rüdiger lebte in Köln. Hier war er aufgewachsen, zur Schule gegangen, hier hatte er einen Beruf erlernt, geheiratet und eine Familie mit zwei Kindern gegründet. Ein typisch bürgerliches Leben, das so von ihm erwartet wurde.

Schon immer hatte Rüdiger gespürt, dass etwas nicht stimmte; glücklich war er nicht in dieser Welt, in die er da geraten war.

Erste Versuche, der Spießigkeit zu entkommen, zeigte er als Jugendlicher mit der Veränderung seines Äußeren. Er trug die Haare länger, ließ sich einen Vollbart wachsen und erregte Aufsehen mit einer roten Vespa als sein Fortbewegungsmittel.

Als er noch nicht verheiratet war, unternahm er mit der Vespa Reisen nach Venedig oder Spanien. Das waren die Höhepunkte in seinem tristen Alltag. Die leichte Lebensweise der Südländer gefiel ihm.

Zuhause lebte er in einer Wohnsiedlung, noch bei seinen Eltern. Von der Mutter verwöhnt, vom Stiefvater in Ruhe gelassen, waren es eben nur diese kleinen Schritte, die es möglich machten, einen Ausgleich zu finden.

Als Elektriker in einem großen Werk arbeitete er zuverlässig. Er war beliebt mit seiner freundlichen und sympathischen Art.

Klug und fair, souverän und mit Humor gelang es ihm, immer an der Spitze im Kollegenverband als auch bei der Clique gleichaltriger Jugendlicher zu stehen. Man vertraute ihm, Rüdiger hatte ein offenes Ohr für die Probleme der Anderen, er war ein guter Zuhörer und hilfsbereit, wenn es nötig war.

Bei den Frauen punktete er mit den gleichen Qualitäten, dazu noch mit der Gabe, ein hervorragender Tänzer zu sein. Ganz Gentleman war er es, der die Damen bei jeder Feierlichkeit elegant in den siebten Himmel schweben ließ.

Unverständlich war es, dass er trotz dieser Eigenschaften keine Frau finden konnte. Längst waren alle in festen Händen. Es wurde geheiratet, Häuser gebaut und Familien gegründet. Rüdiger schaute zu, ohne die geringste Lust, das Gleiche zu tun.

Er war der Einzige der Clique, der allein war und sich deshalb die dummen Sprüche der »Verheirateten« anhören musste.

Selbst seine liberalen Eltern fühlten sich von den Blicken der Nachbarschaft unter Druck gesetzt. Der charmante, gut aussehende, hilfsbereite Rüdiger immer noch ohne Frau, da konnte etwas nicht stimmen. So die Vermutungen.

Bald reichte es ihm; Rüdiger packte seine Sachen, stieg in den gelben Volkswagen und machte sich auf den Weg nach Schweden. Hier fand er eine gute Arbeit, bekam einen freien Kopf in der grandiosen Natur und bei den liberalen Menschen.

Es war nicht seine Absicht, dass Kerstin, die Tochter eines Kollegen ihr Herz an ihn verlor. Als er ihre Tränen nicht mehr ertragen konnte, verabschiedete er sich und kehrte nach einem Jahr Aufenthalt in Schweden zurück nach Köln.

Der Anschluss an seine Familie, seine alte Arbeitsstelle und den Freundeskreis verlief reibungslos. Man freute sich, schlug ihm kameradschaftlich auf die Schulter und zwinkerte ihm wohlwissend zu, dass es in der Heimat doch am schönsten sei.

Rüdiger lachte mit, er kannte das Gerede, solche Worte konnten ihm nichts mehr antun.

Am Wochenende hatte er den Mut, in das Viertel der Stadt zu gehen, wo Männer sich aufhielten. In den schummrigen Beleuchtungen der Bars fühlte er sich wohl und ließ es zu, dass Männer ihn berührten und ihm begehrende Blicke zu warfen. Er lernte Martin kennen, einen feinen Kerl und Mann mit guten Manieren.

Martin ließ ihm Zeit, er legte keine Eile an den Tag; Liebschaften nur für eine Nacht interessierten ihn nicht.

Die ruhige Art Rüdigers gefiel ihm, mit seinen Zärtlichkeiten und Küssen blieb er zurückhaltend und sanft.

Rüdiger bewegte sich in zwei Welten. Es wurde ihm klar, wohin er gehörte; aber wie und wann würde er seine andere Welt davon in Kenntnis setzen?

Am nächsten Samstag ging er mit Martin zu einer Vernissage. Es war ihm ein großes Vergnügen, die Malereien, die Präsentation und die Menschen dort zu betrachten. Er wusste, dass auch dies die Welt war, in der er sich wohl fühlte, sie berührte ihn sehr.

Mit der Mutter unterhielt er sich gerne. Über Bücher gehockt schauten sie gemeinsam die Werke großer Meister, tauschten sich aus, diskutierten und hatten Freude an dem Interesse für die gleichen Dinge.

Der Stiefvater, ein absoluter Opernfreund, suchte Schallplatten, die Rüdiger sehr gern in seinem Zimmer hörte. Die Nähe zu den Eltern war ihm wichtig.

Er wollte die Jugendfreunde nicht enttäuschen, als sie ihn zu einer Geburtstagsfeier einluden und verzichtete an diesem Samstagabend auf Martin und die üblichen Gewohnheiten.

Die herzliche Begrüßung gefiel ihm schon, doch es dauerte nicht lange, bis er die altbekannten Sprüche hörte und er liebend gerne die Gesellschaft verlassen hätte. In dem großzügig eleganten Eigenheim von Klaus, eingerichtet wie das Schaufenster eines Möbelhauses, musste er sich gefallen lassen, dass man ihm mitleidig auf die Schulter klopfte, süffisant mit den bekannten Worten: »Du Armer, immer noch solo? Die hübschen Blondinen in Schweden waren wohl schon ausverkauft.« Gequält lachte er über den Blödsinn. So schnell wie möglich wollte er verschwinden, als ihm das Lachen einer hübschen Brünetten auffiel. Sie lachte und redete im Kreis ihrer Freundinnen ohne Rüdiger aus den Augen zu lassen.

Sichtlich irritiert ließ er sich auf ihr Flirten ein und es dauerte nicht lange, dass er umgeben war von den jungen Frauen, die ihm Dora's Vorzüge anpriesen.

Dora gefiel ihm, selbstbewusst und forsch forderte sie Rüdiger zum Tanz auf und ihn reizte es, unter dem Beifall der Anderen seine Tanzkünste unter Beweis und Dora zum Glühen zu bringen. Der Abend wurde unterhaltsam, die Anfeuerungen der Freunde: »Das ist die Richtige, das Warten hat sich gelohnt, Dora und du, das passt« störten ihn mit einem Mal nicht mehr.

Rüdiger hatte die Wahl und entschied sich für die Welt, in der er glaubte, ein normales Leben führen zu können.

Glückwünsche von allen Seiten zu diesem tollen Mädchen machten alles andere unmöglich. Den positiven Reaktionen seines Umfeldes war er so ausgeliefert, dass er glaubte, dass Glück so aussehen musste.

Dora, das frische gesunde Mädchen aus einer ländlichen Gegend außerhalb Kölns war überglücklich, hier in der Stadt den Richtigen gefunden zu haben. Für Rüdiger war sie nicht das Dummchen vom Lande, er ließ sie gewähren und war nicht aufdringlich wie die Burschen, die sie aus ihrem Dorf kannte.

Rüdiger ließ sich an die Hand nehmen und empfand es angenehm, dass Dora vorgab, was es zu tun gab. Sie war nicht prüde und genoss bei ihm das stürmische Verlangen nach schnellem Sex.

Schnell wurde sie schwanger und einer Hochzeit stand nichts mehr im Wege.

Rüdiger war aufgenommen in den Kreis des Gutbürgerlichen. Vergessen waren Martin, die Wochenenden in der Bar, die Kultur. Es gab viel zu tun, die Idee Doras, ein Haus für die kleine Familie zu bauen, schaffte reichlich Arbeit für ihn. Nach der Geburt der ersten Tochter kam schnell die zweite. Dora ging auf in ihrer Rolle als Hausfrau und Mutter. Die Geburt der Kinder hatten aus ihr keine weiche, warmherzige Person gemacht. In ihrer burschikosen Art regelte sie die Arbeit im Haus, erzog die Kinder und stellte Ansprüche an Rüdiger.

Es kam die Zeit, dass sich seine Gedanken an die Zeit vor Dora erinnerten und die Gefühle wieder aufflammten.

Dora erfüllte ihre Pflichten, die sie als Ehefrau zu erledigen hatte. Stolz war sie auf das schicke Haus, das sie in der vornehmen Wohngegend hegte und pflegte. Rüdiger erfüllte seine Pflicht als Ernährer und Versorger der Familie.

Dass er am Wochenende hin und wieder das Bedürfnis hatte, allein ein Bier trinken zu gehen, empfand Dora als das Recht für einen arbeitsamen Mann und fragte nicht weiter nach.

Allmählich fand Rüdiger zu sich, er schaute in der Zeitung nach Ausstellungen, Vernissagen, Konzerten und Opernveranstaltungen. Dora wunderte sich über diese Vorlieben ihres Mannes, hatte aber der Kinder wegen keine Zeit, ihn zu begleiten. Es interessierte sie auch nicht und Rüdiger spürte, wie sich sein Leben wunderbar veränderte.

Es gab sie noch, die Welt mit den schönen Dingen, die sein Herz erfreuten. Zugegeben suchten seine Augen auch nach Martin, doch es war Julio, der ihm über den Weg lief.

Julio, der im Museum laut mit herrlich gefärbter Stimme und lebhaften Bewegungen vor einem Bild gestikulierte und die Aufmerksamkeit nicht nur der Besucher, sondern auch der Wärter auf sich zog. »Bitte die Bilder nicht berühren«, war da zu hören. Die Antwort kam postwendend mit akzentreichen Worten. »Bitte schon, glauben Sie bitte nicht, dass ich das Bild von dieser langweiligen Frau beruhre, es spricht mich uberhaupt nicht an, eine ganze Wand mit Bildern dieser langweiligen Person, keines davon wurde ich anfassen.«

Er drehte sich um, warf den großen farbigen Schal um die Schulter, hob den Kopf und wurde von Rüdiger angesprochen: »Entschuldigen Sie, aber es gibt noch vieles anderes hier zu sehen, haben Sie Lust?«

Es war der Anfang!

Julio, gekommen aus einer anderen Welt, hatte ihn angesehen und mitgenommen.

Aus Rüdiger wurde Rudiger, die portugiesisch sprechende Zunge machte es Julio nicht möglich, ein Ü zu sprechen. Sein »Aber Rudiger« war Musik in dessen Ohren. Er liebte die Aussprache Julio's, die ausdrucksvolle Mimik, die kullernden Augen und vor allen Dingen die Sprache der Hände, die fast jedes Wort unterstrichen. Waren sie unterwegs, fielen sie auf. Viele Leute schauten dem ungleichen Paar hinterher. Julio, farbenfroh gekleidet, meist in Gelb, seiner bevorzugten Farbe- zu sehen an den Mustern der Jacke oder den bunten Hemden. Um den Hals trug er stets einen Schal, der gestreift oder lila sein musste. Rüdiger daneben war ein typisch deutscher junger Mann in Kleidung mit unauffälligen Farben, allenfalls Blue Jeans und Rollkragen. Was auffiel, war das selbstbewusste Auftreten der Beiden, sogar Hand in Hand liefen sie nebeneinander. Rüdiger war es endlich möglich, sein wahres Ich zu zeigen. Er bestand auf seinem Anrecht, glücklich zu sein und mit seiner Liebe zu Julio so zu leben, wie er wollte.

Ohne ein schlechtes Gewissen zu haben, outete er sich zuerst seiner Mutter. Der Vater war vor einiger Zeit verstorben, die Mutter hatte ihm ins Gesicht geschaut und gelächelt. »Was spielt das für eine Rolle, du bist mein Sohn und du musst glücklich sein.«

Sie hatte schon lange seine Homosexualität geahnt, auch still einige Tränen vergossen und immer den Wunsch gehabt, dass es ihm gut gehe.

Dora war entsetzt, was würden die Leute sagen, ihr erster Gedanke.

Sie hatte sich gegen den Kopf geschlagen, ihm ihre Wut entgegen geschleudert, Wut über seine Unehrlichkeit und darüber, dass sie die Situation nicht rechtzeitig erkannt hatte.

Er wollte keinen großen Aufstand und Dora ließ sich schnell damit trösten, dass er genügend Geld für den gewohnten Lebensstandard und die Kinder zahlte.

Die Kinder hatten ihren Platz in seinem Herzen, den er nie aufgeben würde. Obwohl sie ihn verachteten, hielt er die Verbindung.

Schrieb regelmäßig Briefe, finanzierte ihr Studium und wurde nicht müde, Interesse an ihren Leben zu zeigen.

Das Leben mit Julio war so neu und wunderbar, es gab nichts, was stören konnte. Sie ergänzten sich auf ungewöhnliche Weise. Der farbige Schal, den Julio um den Hals geworfen hatte, war für beide das Zeichen ihrer Befreiung von der Last, die sie mit sich geschleppt hatten. Die Befreiung, die beteuerte, dass sie alle Farben und Facetten des Lebens annehmen würden.

Und Julio fühlte mit einem Mal die Ehrlichkeit dieses Miteinanders. Er akzeptierte die sonst so verachteten Regeln und nahm ihre Verlässlichkeit wie einen Schutz an, der ihn inspirierte, Dinge anzugehen, im Vertrauen, dass sie gut würden. All das, was ihm der Vater genommen hatte, erhielt er von Rüdiger.

Er hatte es nicht nötig sich anzubiedern, Rüdiger liebte ihn so wie er war.

In der Anonymität eines Hochhauses hatten sie ihre Wohnung eingerichtet. Marcello war viel unterwegs, die Konzertreisen führten ihn tatsächlich durch viele Städte in Deutschland und Europa. Spielte er in Köln, war ihm ein Platz auf der Couch bei den Beiden sicher.

Die Begeisterung über die gefundene Liebe sprühte vor Glück. Julio entwickelte sich zu einer »fast« perfekten Hausfrau. Er überraschte Rüdiger »fast« täglich mit einem neuen Gericht der brasilianischen Küche. Für den Feijoada, den Bohneneintopf stand er »fast« den ganzen Tag in der Küche und freute sich wie ein Kind, wenn es Rüdiger schmeckte. Sehnsüchtig wartete er auf Rüdiger, der nach der Arbeit erst spätnachmittags nach Hause kam. Dann wurde er zufrieden und vergaß die Langeweile des Tages.

Mit Rüdiger an der Seite war der nicht erfüllte Traum einer Karriere in Deutschland zu ertragen. Rüdiger ermunterte ihn, nicht aufzugeben. Julio schrieb eine Bewerbung nach der anderen. Der Wunsch nach einem Heldentenor aus Brasilien war nicht so groß, wie er es sich erträumt hatte. Das Hausfrauendasein befriedigte ihn nicht, er schrieb sich an der Musikhochschule ein und wurde wieder zum Studenten. Nach kurzer Zeit fand er Kontakt zu anderen brasilianischen Studenten und war sehr beliebt bei den Kommilitonen.

Ohne Musik würde er nicht leben wollen. Er probte in der Musikhochschule und die Überzeugung, irgendwann auf einer Opernbühne in Deutschland zu stehen, blieb. Die Kollegen bestätigten diesen Optimismus und kamen gern zu seinen Einladungen in ihre Wohnung im Hochhaus. Schon einmal im privaten Kreis eine kleine Kostprobe von Julio's Gesang zu hören, war stets der Anfang eines unterhaltsamen Abends. Im Kreise von Sängern und Schauspielern und den Menschen seiner Heimat fühlte sich Julio wohl und auch Rüdiger profitierte von der lockeren Lebensart, die er nicht gekannt hatte. Alles war möglich, es gab keine starren Regeln und keine Erwartungen. Spaß miteinander haben, lachen, singen und tanzen brachte auf jeden Fall gute Laune. Wenn Julio mit Inbrunst auf dem Keyboard herum hämmerte und dieses Geschenk von Rüdiger lauthals vor allen Gästen als Beweis ihrer Liebe präsentierte, konnte es besser nicht sein. Immer wieder war das Zusammensein mit Julio von ungeheurer Bedeutung für Rüdiger. Egal, ob nach einer wilden Party, nach einem gemeinsamen Konzertbesuch oder einem feudalen Essen, das über ihre Verhältnisse ausfiel, machte es ihn glücklich, Julio an seiner Seite zu haben.

Jeder Tag war ein Abenteuer. Am schönsten war es, wenn sie allein zu Hause waren. Wenn Julio seine Maske abgelegt hatte und sich nach Ruhe sehnte. Dann saß er zusammengekauert auf dem Sofa, hörte Musik und trank ein Glas Wein. Allein, in Gedanken irgendwo. Auf seinem Gesicht eine Traurigkeit, die Rüdiger rührte. Er nahm ein Buch und blickte immer wieder verstohlen auf den Menschen, der zu ihm gehörte. An solchen Abenden war es dann irgendwann so weit, dass sie miteinander redeten, sich öffneten und es zu ließen, sich von der Vergangenheit zu lösen.

Julios Geduld, ohne Arrangements zu sein, veränderte sich immer mehr. Er war es leid, seine Tage als Student zu verbringen und wenig Geld zu haben. Ihm fehlte die Bühne und das Publikum, er brauchte Beifall, Dramatik, Tragödien und Komödien, die ganze Welt der Oper vermisste er.

Außerdem war es ihm zu kalt in Deutschland, mit eisigen Händen und einer dicken Wollmütze auf dem Kopf fühlte er sich schrecklich. Er wurde depressiv, seine Stimmung sank auf den Nullpunkt. Julio wurde unerträglich in seiner Sehnsucht nach Brasilien.

Rüdiger ertrug das Jammern und das leidvolle Gesicht. Die Launen sah er als typisches Verhalten einer unglücklichen Diva und versprach sich Vieles davon, Julio mit einer Reise nach Portugal auf andere Gedanken bringen zu können.

Julio blühte auf, war begeistert von der Idee. Dass Rüdiger mitten im Winter seinen Urlaub nahm, sah er als großes Geschenk und dankte ihm mit überschäumenden Liebesbezeugungen.

Julio erwachte, bekam seine Lebensfreude zurück, er hielt Rüdigers Hand, schmiegte sich an ihn und küsste ihn, wo immer es möglich war.

»Schau, Rudiger, du wirst erleben, wie fantastisch die Sonne ist. Die Wärme wird uns gut tun. Die Kälte in Deutschland wirst du vergessen, die Luft ist erfrischend und wir bekommen Lust, etwas Neues zu machen. Am Abend werden wir tanzen, du wirst erleben wie wunderbar das sein wird. Er lachte sein lautes Lachen und bewegte die Hüften verführerisch. Rudiger, die Welt ist schön, wir suchen aus, was uns gefällt.«

»Natürlich«, Rüdiger ließ sich mitreißen, »natürlich fliegen wir in den Süden und vergessen das kalte Deutschland.«

Das Glück fand seinen Weg in Portugal und verlor sich nach und nach, als sie wieder zurück waren in Deutschland. Nirgendwo war ein Platz für einen Heldentenor. Julio's Bemühen, seinen Kummer und seine schlechte Laune vor Rüdiger zu verbergen, wirkte kläglich und änderte sich an dem Abend, als er nach langer Zeit wieder einmal eine hervorragende Feijoada gekocht hatte, diese mit lächelndem Gesicht servierte und mit zitternder Hand ein Flugticket auf den Tisch legte.

Ein Heldentenor wurde auch in Sao Paulo nicht erwartet. Julio wurde zu Tamino oder Pinkerton, sang mit Inbrunst lyrisch, das Publikum dankte großzügig mit Beifall und die Welt war wieder so, wie Julio sie liebte. Seine Leidenschaft für das Theater, die Kollegen und die Wärme, die er brauchte, alles war da im Überfluss. Er wurde geliebt und spielte mit der Liebe, bedingungslos und ausgelassen.

Julio nahm an, was sich bot, er hatte die Wahl getroffen und verdrängte den Gedanken an das, was ihm fehlte. Die versprochenen Briefe und Anrufe für Rüdiger verbot er sich nach einiger Zeit.

Bajazzo, die Aufführung in der kommenden Spielzeit an der Oper in Sao Paulo.

Rüdiger in Köln kennt das Programm.

Julio in der Rolle des Canio, mit der Arie »Lache Bajazzo« trifft er ihn mitten ins Herz.

Er macht sich auf den Weg. Die Reservierung, mittlerer Platz, dritte Reihe ist bestätigt. Erstaunt schaut das Publikum auf den großen blonden Mann, der mit sehnsuchtsvollen blauen Augen zur Bühne blickt. Ihn interessieren die Zuschauer nicht, Rüdiger lauscht der Stimme Julio´s, sieht sein Spiel und fühlt mit dem Geschehen auf der Bühne.

Obwohl er größer ist als die meisten Zuschauer, sein Kopf ragt weit

in die Höhe, wird Julio ihn nicht bemerken. Doch manchmal hat er

das Gefühl, als ob ihre Augen sich begegnen.

Nach der Vorstellung bahnt er sich einen Weg in die Künstlergarderobe. Noch ist Julio nicht abgeschminkt, eine verwaschene schwarze Träne unter dem Auge macht ihn traurig und müde. Er ist allein, schaut auf das Gesicht im Spiegel, summt die Melodien und wischt langsam die Farbe ab.

Rüdiger beobachtet ihn ganz still, die Emotionen auf dem Höhepunkt warten nur darauf, den Anderen zu erkennen und zu umarmen.

Sein Hab und Gut brachte Rüdiger in einem Koffer, alles fand Platz in Julio´s Wohnung. Das gemeinsame Leben ging da weiter, wo es in Deutschland aufgehört hatte.

Rüdiger liebte nicht nur Julio, ihm gefiel die Lebendigkeit der Stadt, der schnelle Weg ans Meer, die Sonne, die Früchte und die heitere Mentalität der Menschen. Die erste Zeit in Sao Paulo war ausgefüllt mit dem Zauber des Neuen. Rüdiger besuchte Sprachkurse, lernte portugiesisch und nette Leute kennen, die, genau wie er, von dem Leben in diesem Land begeistert waren.

Julio´s Kollegen im Opernhaus hatten ihn gleich ins Herz geschlossen. Dieser Mann aus Deutschland, der Liebe wegen hierher- gekommen, das wahre Libretto einer Oper. Zudem bewunderten sie sein handwerkliches Geschick.

Rüdiger war der Mann für Alles. Jede defekte Steckdose, jede kaputte Lampe oder Waschmaschine wurden von ihm repariert.

Dass er der Mann an Julio´s Seite war und dieser sich nicht mehr nach anderen Liebschaften umsah, verblüffte alle. Es war eine herrliche Zeit.

Nachdem die Sprache keine großen Schwierigkeiten mehr bereitete, war es an der Zeit, eine Arbeit zu finden. Etwas Solides, Festes sollte es sein. Rüdiger war es leid, sein Geld mit Gelegenheitsarbeiten zu verdienen.

»Ach, Rudiger, wo leben wir denn? Feste Regeln wie in Deutschland gibt es nicht. Mach dir keine Sorgen, ich habe doch einen guten Job, es lohnt sich nicht, deine Gedanken damit zu stören«, Julio versuchte ihn zu trösten; mit einer lässigen Handbewegung und einem Lächeln schob er das Thema zu Seite. »Gehen wir lieber auf eine Party oder an den Strand. Essen wir Orangen und Papayas, dann geht es wieder besser. Wir sind zusammen hier und das zählt, kein Schmetterling ist in Sicht der uns stören konnte.«

Er hatte es geschafft, Rüdigers Gedanken zu zerstreuen. Rüdiger wusste um die unbegreifliche Angst Julio's vor Schmetterlingen und lächelte.

Die größere Sorge war die Aufenthaltserlaubnis für Rüdiger. Sein Visum würde bald abgelaufen sein und in diesem Punkt war das großzügige Land streng.

Sie schöpften alle Möglichkeiten aus, Rüdiger unternahm beschwerliche Reisen in die Nachbarländer, die nötig waren für ein neues Visum. Tagelang saß er in unbequemen Bussen nach Paraguay oder Guyana, wohnte für kurze Zeit in billigen Hotels und verstand die Sprachen nicht. Dass Julio auf ihn wartete, die Sehnsucht und Freude auf den Augenblick des Wiedersehens ließen ihn durch halten.

Julio vermisste den Freund, mit Rüdiger zu leben hatte ihn stark gemacht. Er gab ihm ein Zuhause und die Ruhe, die er brauchte. Die Anstrengungen, sich zu präsentieren, den Clown zu spielen, waren vorbei. Die Tage ohne Rüdiger verbrachte er allein mit der Sorge, dass auf diesen Reisen etwas passieren könnte. Diese Unternehmungen waren gefährlich.

War er zurück, feierten sie die Tage wie einen Sieg und vergaßen für kurze Zeit die Sorgen.

Zunehmend wurde das Leben anstrengend. Das heiße Klima machte zu schaffen, die Arbeitslosigkeit und die Ungewissheiten bestimmten den Alltag. Sie litten beide darunter, begriffen die Aussichtslosigkeit und wussten, dass die gegenseitigen Aufmunterungen nur schwache Versuche waren.

»Was auch passiert, trennen werden wir uns nicht mehr.«

Rüdiger hat keine Chance, weiter in Brasilien zu bleiben. Sein Visum wurde nicht verlängert, er musste zurück nach Deutschland.

In Köln stand er vor dem Nichts. Keine Wohnung, keine Arbeit, allein die Hoffnung, dass es irgendwie weitergehen würde.

Gute Menschen verhalfen ihm zu einer Bleibe. In einem kleinen

Gartenhaus gab es eine Unterkunft, die fürs Erste ausreichte. So gemütlich wie eben möglich richtete er sich ein und hatte Glück bei der Suche nach einer Arbeit. Die Briefe aus Brasilien waren sein Trost, Julio wollte so schnell wie möglich bei ihm sein. Es waren die Umstände, die diesen Wunsch in die Länge zogen. Formalitäten, Verpflichtungen, Geldsorgen, alles Dinge, die sie mürbe machten. Bevor Julio kam, musste eine Wohnung her. Rüdiger wollte ihm nicht zumuten, in einem Provisorium zu leben. Er schämte sich und vertröstete seine Ankunft mit fadenscheinigen Gründen. Die Sorgen nahmen kein Ende.

Erst nach einem halben Jahr war es soweit, dass Julio ausreisen konnte. Rüdiger holte ihn am Flughafen ab. Lag es am feuchten, kalten Wetter in Deutschland, dass sich auf Julio's sonnengebräunter Haut helle Flecken zeigten? Rüdiger hielt ihn in seinen Armen und spürte einen abgemagerten Körper. Er würde sich um ihn kümmern müssen.

Die Wohnung war noch nicht gefunden, Julio nahm es mit einem Lächeln. Es gefiel ihm, in einem Garten zu wohnen. Nachts aber hustete er viel und bekam Ängste. »Ach Rudiger, kommen auch keine Schmetterlinge hier hinein. Es gibt keine Rollladen und die Tür lasst sich nicht richtig verriegeln. Es ist unheimlich.«

»Natürlich Julio, es wirkt unheimlich, aber ich wohne schon über sechs Monate hier und es ist nichts passiert. Du hörst die Vögel zwitschern und wir beide sind zusammen. Wir haben uns wieder und stehen die nächste Zeit gemeinsam durch.«

Julio beruhigte sich und begann wieder Bewerbungen zu schreiben. Ausgerechnet aus Norddeutschland kam das Angebot eines Neuanfangs. Julio's Bewerbung an der Oper in Kiel wurde angenommen. Aufatmen und neuer Lebensmut! Wieder stand ein Umzug bevor, nach drei Monaten würden sie Köln verlassen, um endlich ein neues Zuhause zu finden.

Es funktionierte, sie gewöhnten sich an die fremde Stadt, fanden Freunde und bemerkten, wie unrecht es war, die Menschen hier als kühl und unnahbar zu bezeichnen.

Sie empfanden es mehr als Glück, dass Rüdiger eine Anstellung in seinem Beruf, ebenfalls im Opernhaus, erhielt.

Am gleichen Ort zu arbeiten war ein Geschenk. Rüdiger liebte es, Julio bei den Proben zu hören und Julio liebte es, Rüdiger mit dem Handwerkskasten hinter der Bühne zu sehen.

Die schönsten Abende waren die Aufführungen, wenn Julio auf der Bühne stand.

Carmina Burana. Julio in seiner Rolle als sterbende Ente. Die Ente, die klagt und nicht damit einverstanden ist, im Kochtopf zu landen. Ein zu Herzen gehender Gesang und mitleidserregende Gebärden.

Rüdiger auf dem besten Platz, dritte Reihe, erstes Parkett, mittlerer Sitz. Salopp gekleidet im hellen Anzug, gelben Hemd und Krawatte mit farbenfrohen Motiven, die Hände gespreizt, die Fingerspitzen zusammen gelegt, sitzt er scheinbar ruhig und konzentriert in den violetten Polstern des Opernhauses. Seine innere Unruhe und Angespanntheit sind für die Zuhörer nicht bemerkbar. Rüdiger schaut wie gebannt auf die Bühne. Der Chor ist ihm bekannt, jetzt kommt die Stelle für den Solisten, Julio. Er ist die bemitleidenswerte Ente in Carmina Burana.

Julio rudert mit den Armen, dreht und wendet sich, liegt fast auf dem Boden und wirft den Kopf mit einer leidenden Gebärde in den Nacken. Es fällt nicht schwer, dem verzweifelten Ton seiner Stimme zu glauben.

»Das Feuer brennt mich sehr, nun so arg verbrannt, nun so schwarz.

Einst schwamm ich auf den Seen umher, einst lebte ich und war schön.«

Zuhause ist Julio müde. Er fühlt sich nicht gut, hat keinen Appetit und hustet sehr viel. Rüdiger hilft ihm aufs Sofa, deckt ihn mit einer warmen Decke zu und kocht Tee.

Am nächsten Abend auf der Bühne ist er wieder der Alte, auf der Bühne gibt er alles. Er singt, spielt und bewegt sich bis zur Erschöpfung.

Die Sorgen Rüdigers zerstreut er, einen Arztbesuch lehnt er ab.
»Das ist in diesem Beruf eben so, ich bin alter geworden, kann nicht mehr so viel herum hupfen«, erklärt er mit einem Lächeln. Dass es ihm keinen Spaß mehr macht, aus dem Haus zu gehen, Freunde zu besuchen oder ein paar Tage allein mit Rüdiger zu verreisen, sind kein gutes Zeichen. Rüdiger hält ihn im Arm und macht keine Bemerkung zu der verlorenen Lebensfreude und den stillen Tränen. Er hat Angst.

Hin und wieder kommt der alte Julio zum Vorschein, dann hat er Appetit, sie gehen in ein brasilianisches Restaurant, essen vorzüglich und verbringen den Abend ausschweifend.

Ist er im Theater, erfüllt er seine Pflicht. Nach den Vorstellungen verschwindet er schnell in der Garderobe und verlässt das Haus ohne sich zu verabschieden. Die Gesichter der Kollegen – ratlos.

Als Rüdiger zu Hause aus dem Badezimmer einen Schrei hört, ist er geschockt, das Blut zu sehen, das Julio spuckt. Er bringt die bleiche, dünne Gestalt sofort in ein Krankenhaus. Die Diagnose HIV positiv verändert ihr Leben.

Es zählt nur das Heute. Julio ist so schwach, dass er das Krankenhaus nicht mehr verlassen kann.

»Ach Rudiger, du bist da, bleibe bei mir, ich bin mude und schlafe ein wenig. Es ist so schon, wenn ich wach werde und dich sehe.«

»Natürlich Julio, natürlich.«

Die Sonne scheint und auch die Tage werden heiter. Die Medikamente zeigen ihre Wirkung. Julio ist ansprechbar. Sie reden miteinander, scherzen über das Lied der Ente und freuen sich, dass es zum Abendessen Ananas gibt.

»Aber Rudiger, ich weiß genau, dass du sie bestellt hast.«

»Aber natürlich Julio, für dich mache ich alles.«

»Dann bringe ein Radio her, ich vermisse die Musik.«

»Natürlich Julio, natürlich.«

Er schläft ein, Rüdiger bleibt. Die Schwester findet ihn zusammengesunken auf dem Stuhl und bietet ihm an, für die nächsten Tage ein weiteres Bett ins Zimmer zu stellen.

Es gibt nur eine Frage: Wird er sterben?

Zuhause schnell ein paar Sachen eingepackt, das Radio und den Kassettenrecorder. Als er ins Krankenhaus zurückkommt, steht sein Brett schon bereit.

Julio redet im Schlaf, unverständliche Worte, die Hände gleiten über die Bettdecke, sie suchen etwas. Als Rüdiger sie festhalten will, erschrickt Julio, schaut ihn hilflos an.

Rüdiger weint, will schreien. Er läuft durch das Zimmer, geht nur kurz auf den Flur, er darf Julio nicht verlassen. Die Schwester tröstet ihn, streicht ihm über den Arm. Es ist sehr still, fast Mitternacht. Rüdiger schaltet das Radio an, um diese Uhrzeit senden sie meist die schönste Musik. Er findet nichts, schaltet den Apparat wieder aus.

Ruhig wird er erst auf dem Stuhl neben Julio´s Bett. Er schaut in das schlafende Gesicht. Blass, mit kleinen Schweißperlen im Gesicht, liegt er entspannt, die Medizin für die Nacht hilft dabei. Die Schwester kommt leise herein, misst Fieber und schaut nach der Infusion. Sie bittet Rüdiger, sich hin zu legen und zu schlafen.

Am frühen Morgen wird Julio unruhig, er versucht aufzustehen, stößt gegen die Infusion, schreit und weint, weiß nicht, wo er ist und was mit ihm geschieht. Rüdiger ist rasch bei ihm, legt ihn zurück ins Bett, streichelt seinen Arm und küsst ihn auf die Wange.

»Rudiger«, so beruhigt und glücklich hat er ihn seinen Namen nie zuvor aussprechen hören. Julio atmet nun ruhig, er lächelt und nickt, als Rüdiger vorschlägt, eine Kassette zu hören.

»Villa Lobos oder Piazolla?«

»Erst das eine, dann das andere.«

Die Visite kommt. Fünf Ärzte stehen um das Bett herum und schicken Rüdiger auf den Flur. Er raucht eine Zigarette am offenen Fenster, bevor er wieder ins Zimmer geht und bestimmend erklärt, dass er als Lebenspartner Julio´s ein Recht darauf hat, über dessen Zustand informiert zu werden.

Ein junger Arzt versteht, zeigt mit dem Finger auf die Lippen, mahnt zur Ruhe und gibt ihm ein Zeichen, dass er gleich erklären wird.

»Julio hat Aids, HIV im Endstadium, er wird sterben. Er bekommt Schmerzmittel mit starken Nebenwirkungen. Bleiben Sie bei ihm, wenn Sie können und erschrecken Sie nicht, wenn er verwirrte Dinge spricht und auffallend unruhig wird.

Rufen Sie uns jederzeit.

Es tut uns sehr leid und wir möchten Sie bitten, später einen Test machen zu lassen. HIV muss nicht immer zu Aids werden. Es gibt gute Mittel, die ...«

Das war nicht, was Rüdiger hören will. Er holt sich Zigaretten, raucht vor dem Eingang des Krankenhauses und geht zurück ins Zimmer.

Julio ist wach, er sieht frisch aus und lacht Rüdiger an. Dann verzieht er die Nase.

»Aber Rudiger, du wolltest doch nicht mehr rauchen. Du weißt, meine Stimme, wie soll ich singen, wenn dein Rauch mir die Kehle zu -schnurt? Lass es sein und denke auch an deine Gesundheit, außerdem stinken Zigaretten furchterlich.«

»Natürlich Julio, natürlich«

Eine Woche liegen sie gemeinsam in diesem Zimmer, es gibt nichts Anderes als diesen langen Abschied.

Rüdiger schafft es nicht, das Rauchen aufzugeben. Julio schläft fest, als er in die Cafeteria geht, eine neue Schachtel Zigaretten zu kaufen.

Als er das Zimmer wieder betritt, sieht er, dass Julio aus dem Bett gefallen ist.

Er hebt ihn auf seine Arme, schaut in ein tieftrauriges Gesicht mit großen olivfarbenen Kinderaugen. Er küsst ihn und legt ihn zum letzten Mal behutsam, wie einen kostbaren Schatz, in die weißen Kissen.

Eine Weihnachtsgeschichte – Der Kommunist

Der Mann ist sehr groß und schlank, eigentlich mager, so mager, dass die Wangenknochen hervortreten und die dunklen Augen tief eingebettet liegen. Die Nase ist schmal und gerade, die Lippen sind wie gemalt, nicht verbittert oder streng, eher warm und zärtlich, allerdings erst auf den zweiten Blick erkennbar.

Er trägt einen braunen Trenchcoat, einen Zweireiher, den Kragen hoch geschlagen, den Gürtel auf dem Rücken geschnallt und einen Hut, tief über den tiefliegenden Augen. Fast wie Humphrey Bogart in Casablanca.

Beim Anzünden der Zigarette im Licht der Streichholzflamme zeigen sich braune Hände und braune Finger; Reval rauchen färbt die Finger braun, sozusagen das Markenzeichen der Zigarette.

Die Bewegungen des Mannes sind langsam, sehr langsam. Er bewegt sich, als wäre er stets auf der Hut, ein einsamer Wolf.

Er wird etwa 50 Jahre alt sein und sieht aus wie die meisten Männer dieser Zeit. Durch das Erlebte in ihrer Vergangenheit wirken sie alterslos.

Wer ein Kommunist ist, weiß nur derjenige, der die letzten Jahre als ein »Politischer« im Knast verbracht hat und darüber nicht spricht. Schachspielen hat er da gelernt. Hans beherrscht das Spiel, das Brett und die Figuren hütet er sorgfältig in einem Pappkarton, den er unter den einzigen Sessel in seiner Wohnung, leicht versteckt, geschoben hat. Die Wohnung ist mit zwei Zimmern größer als die Zelle im Gefängnis. Ehemalige Lagerräume, die man zu

Baracken umfunktioniert hat, sind sein Zuhause. Viel Wellblech und niedrige Decken.

Hans bewohnt beide Zimmer mit einer eigenen Toilette und einem Waschbecken im Flur. Es gibt kein oben drüber, die Nachbarn leben in ähnlichen Verhältnissen. Sie bleiben unter sich, sind nicht redselig und sehen Hans nur, wenn er zur Arbeit geht und von dort zurückkommt.

Hans hat eine gute Arbeit. Einen Beruf hat er nicht erlernt; wann denn auch? Erst Arbeitsdienst, dann Krieg, dann Knast.

Sein Arbeitsplatz gefällt ihm. Er ist »Ausbesserer«, das heißt, dass er die Mängel, die bei den Renovierungsarbeiten in den Innenräumen von neuen Wohnungen entstanden sind, ausbessert. Dafür hat er einen guten Blick und vor allen Dingen Geduld. Die Malerfirma lässt ihm die Zeit, die er benötigt.

Hans arbeitet allein. Wenn alle Handwerker fertig sind und die Wohnungen verlassen haben, macht er sich ans Werk. Sein Arbeitsmaterial sind Tapetenrollen, Farben, Kleber, Pinsel und notwendiges Material, das für diese Art von Verbesserungen nötig ist. Oft sind Tapetenstreifen übrig. Die schönsten nimmt er mit nach Hause und tapeziert damit seine Räume. Es ist ihm gleich, ob die Tapeten zusammen passen, er nimmt sie so, wie sie ihm gefallen. Geblümt neben gestreift, große Muster neben Küchenmotiven, Brokat neben Ornamenten. Hin und wieder tauscht er eine Rolle aus und erhält so die Veränderung, die ihn glücklich macht.

Hans wohnt in Ehrenfeld, einem Stadtteil von Köln.

An der Ecke bei Strohhut, dem besten Eisladen in diesem Viertel, sind sie sich zum ersten Mal begegnet, Hans und Mariechen!

Der Sommer ist schon fast vorbei, an diesem Tag ziehen Regenwolken auf. Hans trägt schon den Trenchcoat und den Hut. Maria hat eine leichte Strickjacke um die Schulter gelegt.

Es ist schwierig für sie, mit dem Eis in der Hand die Jacke fest zu halten und gleichzeitig die Geldbörse aus der Umhängetasche zu kramen. So dauert es nicht lange, bis das Erdbeer- und Schokoladeneis mitsamt der Sahne auf Mariechens Sandalen landet, genau vor der Eisbude von Strohhut.

Hans hat es kommen sehen, seine Hilfe fast zu spät, als ihn der Blick aus diesen blauen Augen mitten ins Herz trifft. Er kauft ein neues Eis und führt die junge Frau zu einem Platz auf der nächsten Bank. Wie soll er nur umgehen mit dieser kessen, unaufhörlich mit heller Stimme sprechenden Person?

Dieses Mädchen fällt wie ein Sonnenstrahl auf ihn und da der Himmel wolkenverhangen ist, berührt ihn dieses Ereignis umso mehr.

Gern nimmt sie seine Hilfe an und beruhigt sich allmählich an seiner Seite. Das Eis schleckt sie mit kurzen, genüsslichen Lauten und streicht ihm dankbar über den Ärmel, was ein fast vergessenes Gefühl in ihm weckt. Ein unerwartetes Gefühl, das er zu vergessen geglaubt hatte. Sie dreht sich ein wenig, tippt an seinen Hut »Ich kann Sie ja kaum sehen, wenn ich mich Ihnen vorstelle.

Ich heiße Maria, werde aber Mariechen genannt.«

»Hallo, Mariechen«, es ist das erste Mal seit langer Zeit, dass er den Namen einer Frau ausgesprochen hat. »Ich heiße Hans.«

Mariechen redet, teilt ihm mit, dass sie das jüngste Mitglied einer großen Familie ist.

Ihre vier Schwestern wären alle verheiratet und lebten mit ihren Familien gleich in der Nähe. Dann gäbe es noch zwei Brüder und den Vater, der, sehr gebildet, als Sekretär bei der Eisenbahn beschäftigt ist. Die Mutter ist verstorben und der Bruder Josef, der Arme, ein wenig zurückgeblieben. Der Lieblingsbruder Willi sei ein Hans Dampf in allen Gassen, der alle zum Lachen bringen könne. In der Familie würden sie zusammen halten und jeden Sonntag ein Hauskonzert veranstalten. Ihr Liedschatz sei unendlich groß, so dass sie jederzeit und besonders, wenn sie allein wäre, immer ein Lied auf den Lippen habe.

Treuherzig erzählt sie aus ihrem Leben, Hans kann nicht genug davon hören und unterbricht sie nie.

Erst als die Regenwolken dichter werden, beendet Mariechen

spontan das Gespräch, zieht die Strickjacke über den Kopf und macht sich auf den Weg. Hans schafft es gerade noch, ihr hinterher zu rufen »Ich wohne hier hinter der Eisenbahnbrücke, Baracke Nummer drei!«

Es ist nicht weit zu seinem Haus, von dem er hinaus in den Regen schaut. Ein Wolkenbruch, der alles grau und düster erscheinen lässt, vertreibt sein Lächeln nicht. Ein Lächeln, das ein dunkles Gesicht erhellt, weil es sich an einen Sonnenstrahl erinnert.

Eigentlich wäre die Geschichte, die mit dem Lächeln der Männer zu tun hat, hier schon zu Ende. Da es eine wahre Geschichte ist, geht sie weiter.

Einige Tage später klopft es in Baracke Nr 3. an der Tür. Hans hat gehofft, dass es so kommen würde und öffnet mit großer Freude.

»Komm herein Mariechen«, Mariechen steht da, schiebt ihn zur Seite und betritt die sonderbaren Räume. Als erstes nimmt sie die wunderlich tapezierten Wände wahr und ist entzückt.

»Jede Tapete hat eine eigene Geschichte. Da, die hellblauen oder rosafarbenen sind Tapeten für ein Kinderzimmer. Sicher wohnen darin blond gelockte Mädchen und freche kleine Jungen«.

Mariechens Gesicht ist die Verzauberung anzusehen, sie geht weiter; die gestreiften ordnet sie einem Herrenzimmer zu und die mit den Kannen gehören in eine Küche. Die edlen Tapeten, die mit Brokat oder großen Blumen und Mustern, gehören unbedingt zu einem Wohnzimmer.

»Und du Hans, besitzt alles in einem Raum, du bist ein reicher Mann.«

Sie dreht und wendet sich. Hans, an seinen ganzen Stolz, die Musikanlage gelehnt, betrachtet die junge Frau, die mit rotglänzenden Wangen einen Arm auf den kleinen gewölbten Bauch legt und mit dem anderen ihr Kinn stützt. Aufmerksam betrachtet sie den einzigen verblichenen Sessel, unter dem das Schachbrett hervorlugt. Daneben den kleinen antiken Tisch, dem Platz für den fast schon gefüllten Aschenbecher und einigen Packungen Reval.

Ein paar Rätselhefte, ein Schreibblock und Stifte liegen darauf. Das blau gestrichene Regal ist beladen mit Büchern, nebeneinander und übereinander gestapelt. Vor den Tapeten mit den Küchenmustern steht der Küchentisch auf weißen Beinen und mit einer Schublade. Warum Hans vier Stühle besitzt, verwundert sie.

In der Zimmerecke steht ein schwarzes Ungetüm, der Ofen. Ordentlich gestapelte, breite Holzstücke warten darauf, verheizt zu werden.

Neben der Spüle ein Küchenschrank mit Scheibengardinen und die Zutaten zum Kaffeekochen auf der Anrichte.

Es ist, als ob Mariechen erst jetzt ihren neuen Freund Hans wahrnimmt. Mit einem kleinen Freudenschrei zeigt sie auf die Musikanlage, erkennt das Radio und den Plattenspieler, alles in diesem wunderschönen Möbelstück vereint. Lautsprecher hinter einer mit Stoff umspannten runden Öffnung und elfenbeinfarbige Tasten zum Suchen der Sender.

»Wie schön Hans, lass uns tanzen, Hans bitte suche Tanzmusik.«

Zu viel des Guten, tanzen, wie sollte das möglich sein? Hans verdeckt mit einer schnellen Bewegung die Anlage, drückt auf die Tasten, lässt die Zeiger über die Sender gleiten, ein Gewirr aus Stimmen und Musik rasen vorbei, bevor er das Radio ausschaltet.

»Keine Tanzmusik um diese Zeit und meine Schallplatten bieten nur Klassik und Gesang.«

Treuherzig schaut sie ihn an, »Na gut, dann trinken wir einen Kaffee«, den Blick auf die Kanne, die Tassen und den Filter gerichtet. Mariechen liebt es, Kaffee zu trinken, zu jeder Zeit braucht sie diese Augenblicke des Innehalten und der Muße.

Fast schweigend trinken sie den Kaffee, mit einem Blick, der in den Gesichter sucht, was sie noch wissen wollen.

Es ist schon spät, als Mariechen sich verabschiedet.

»Ich komme wieder.«

Es dauert keine Woche, bis sie mit einer Schallplatte unter dem Arm an die Tür klopft.

»Tanzmusik«, ganz selbstverständlich führt sie die gelben Hände zum Auflegen der Nadel, nimmt den erstaunten Mann in die Arme und bewegt sich langsam, zusammen mit ihm.

»Ich tanze mit dir in den Himmel hinein, in den siebenten Himmel der Liebe.«

Er lässt sich führen, immer weiter mit dem Wunsch, die Umarmung fester werden zu lassen. Sie gibt nach, schmiegt sich an ihn, er küsst sie warm und fest mit der Sehnsucht nach mehr. Mariechen streicht über seine Wangen, erwidert mit zärtlichen Lippen den Kuss.

»Jetzt bist du kein einsamer Wolf mehr, jetzt hast du ja mich.«

Das Glück hat Einzug gehalten in Baracke Nr. 3.

Mariechen kommt täglich, sie trinken gemeinsam Kaffee, umarmen sich und reden miteinander.

»Erzähle mir mehr von deiner Familie, deine Stimme bekommt so einen schönen Klang, wenn du von ihnen sprichst.«

Hans möchte alles hören über die Schwestern, den Vater und Joseph, den Bruder, der etwas langsamer und nicht so klug wie die anderen ist.

Die Schwestern, deren Männer und die Nichten und Neffen in reichlicher Zahl.

»Sie nennen mich nicht nur Mariechen, für sie bin ich auch Mäuschen oder Tante Mäuschen, weil ich so zwei vorstehende Zähne habe. Ist dir sicher schon aufgefallen.«

Sie kichert verschämt und wird rot.

»Für mich wirst du eine Maria sein, bei mir bist du kein kleines Mäuschen und auch kein Mariechen.«

Dass Hans ein wunderbarer Zuhörer ist, gefällt ihr, doch sehr gerne hätte Mariechen gewusst, was sich in seinem Leben zugetragen hat. Auf Ihre Frage, wen er einmal wöchentlich zum Schach spielen trifft, entgleitet ihm »Ach, das ist ein Typ aus dem Knast.«

Dabei bleibt es bis zu dem Tag, als Mariechen den Wunsch hat, Hans mit zu ihrer Familie zu nehmen.

Alle wollen ihn kennenlernen, ihren Liebsten, den Mann, der ihr so viel bedeutet. Neugierig sind sie bei ihr zu Hause.

Die schöne Stunde, neben ihm zu liegen, auf die unterschiedlichen Tapetenstreifen zu blicken und ein Gefühl der absoluten Geborgenheit zu genießen, wird durch diese Frage empfindlich gestört. Hans schaut zur Decke, an Mariechens angespanntem Körper merkt er, dass er an einer Antwort nicht vorbei kommen wird.

»Ich glaube, sie wird mich nicht mögen, deine Familie. Ich bin Kommunist, überzeugter Kommunist; zu Hitlers Zeiten habe ich deswegen im Gefängnis gesessen, obwohl ich nichts mit dem Brand am Reichstagsgebäude zu tun hatte. Bis heute ist die Kommunistische Partei verboten und die Leute möchten nichts von uns wissen.

»Was genau ist ein Kommunist ?Woran glaubst du ?«

»Ich glaube an nichts und wünsche für die Zukunft Gleichheit und Freiheit für alle Menschen; nur eine gottlose Gesellschaft kann das möglich machen, weil die Religion zu viele Machtansprüche erhebt. «

»Ich glaube an Gott und an die Liebe und meine Wünsche für die Zukunft gleichen den deinen. Vielleicht ist es dir möglich, ein bisschen an die Liebe zu glauben.«

Hans dreht sich zu Mariechen, nimmt sie fest in den Arm, schaut in ihr Gesicht und flüstert:

»Mit dir, scheint mir, kommt der Glaube daran zurück.«

Hans hat Recht behalten. Als Mariechen der gesamten Familie kundtut, dass ihr Freund ein Kommunist ist, schlagen sie die Hände über den Köpfen zusammen und rufen,

»das hat uns noch gefehlt.«

Es nutzt nichts, dass Mariechen alle Vorteile aufzählt, sie bleiben skeptisch und haben keine Lust, Hans, den Kommunisten, kennenzulernen.

Einzig allein die bittenden Augen der kleinen Schwester rühren den größeren Bruder Willi. Er ist bereit zu einem Besuch in der Baracke. Willi hat als Soldat den Krieg erlebt. In Russland hat man ihm ins Bein geschossen, seitdem ist es ihm nur mit Hilfe einer Stütze, einer Krücke aus Holz, möglich, zu gehen.

Über seine Kriegserlebnisse redet er nie, ist aber, im Gegensatz zu Hans kein einsamer Wolf, sondern ein lebenslustiger Draufgänger, der viel nachzuholen hat.

Mariechen liebt ihn sehr. An dem Sonntagnachmittag, als er an die Barackentür klopft, öffnet sie mit den Worten

»Herzlich willkommen Willi, überall, wo mein Bruder erscheint, geht die Sonne auf.«

Die Männer begrüßen sich auf Augenhöhe; herzlich!

Willis Blicke durch den Raum bringen ihn zum Lachen, alles ist so, wie Mariechen es erzählt hatte.

»Lasst uns Kaffee trinken«, schon ist sie dabei, einen Platz auf dem Tisch zu suchen. Mariechen rückt einiges hin und her, eine Hausfrau ist sie einfach nicht, ihre Ordnung ist nicht die übliche.

Sie lebt für den Augenblick und das ist in den Räumen zu sehen. Auf dem Tisch stehen leere Gläser, verdurstende Blumen in den Vasen, liegen Zeitschriften, Kartoffeln, Kuchen und Wolle. Eben all die Dinge, die sie gerade benutzt hat. Hans lässt sie gewähren, es ist ihm nicht wichtig. Während sie Kaffee trinken und Willi in das glückliche Gesicht der Schwester, das den schwermütigen Blick von Hans aufheitern lässt, sieht, weiß er, dass es unmöglich sein wird, diese Bindung zu lösen. Im Namen der Familie beglückwünscht er die Beiden zu dem Entschluss, heiraten zu wollen.

Einige Wochen später findet die Hochzeit im kleinen Kreis auf dem Standesamt statt.

»Das genügt, ich glaube an die Liebe«, entscheidet Mariechen, die immer mehr zu einer Maria wird.

Hans geht seiner Arbeit nach und bringt ab und zu Tapetenreste mit, die er in der Baracke austauscht.

Einmal in der Woche packt er das Schachspiel unter den Arm, besucht den Freund und spielt fast bis zum Morgengrauen.

Am Sonntagabend besucht Mariechen weiterhin ihre Familie und bleibt der Tradition des gemeinsamen Singens treu. Hans wartet geduldig und empfindet Tag für Tag und Nacht für Nacht das wunderbare Gefühl in seiner Brust, wie schön es ist, mit diesem herrlichen Geschöpf zu leben.

In diesem Jahr ist es sehr kalt, der Ofen raucht ununterbrochen, er will gefüttert werden und jedes Holzstück, was sie finden, ist kostbar. Die Schwestern stricken Strümpfe, Mützen und Schals.

Im Advent werden wieder die ersten Weihnachtslieder gesungen. Erst an dem Tag, als die Schwestern sie darauf aufmerksam machen, dass ein Kommunist keine Weihnachten feiert, wird Mariechen sich dieser Tatsache bewusst. Bei aller Liebe, ein Jahr ohne Weihnachten ist unvorstellbar.

Die vorsichtige Frage danach verwirrt Hans.

Er hat mit dem Fest nichts am Hut, für ihn ist es allenfalls ein freier Tag. Durch die geschmückte Stadt und an den erleuchteten Fensterscheiben geht er, mit gesenktem Blick unter dem heruntergeschlagenen Hut, vorbei. Dass das Leuchten in Mariechens Augen nachlässt, macht ihn traurig, doch die Hoffnung, dass dies sich wieder ändern wird, gibt er nicht auf.

»Nur eine Kerze, etwas Tannengrün und eine Krippe«, Mariechens Versuch, Hans von der wohligen Atmosphäre in dieser, ihr so wichtigen Zeit zu überzeugen, bringt nur ein Achselzucken.

Ein Kommunist hat kein Verhältnis dazu und auch die Erklärung, dass gerade die Drei, Maria, Josef und das Kind in einem Stall Unterschlupf gefunden hatten, würde doch der Ideologie des Kommunismus sehr nahe kommen.

Mariechen seufzt und findet am Sonntag bei dem weihnachtlichen Gesang mit ihrer Familie Trost.

Am Heiligen Abend arbeitet Hans noch in einer Wohnung und

findet dort die Weihnachtsausgabe des Kölner Stadtanzeigers. Das Titelblatt im Großformat zeigt eine Krippe. Den Stall, umringt von Hirten und Engeln, Maria im blassblauen Gewand, Josef in dunkler Kluft und das Kind, rosig lächelnd, in Windeln gewickelt, mit einem Heiligenschein in der Krippe.

Die Geburt eines Kindes auf der ersten Seite der Zeitung; Hans schaut lange, sucht in seiner Vergangenheit.

Vorsichtig schneidet er das Blatt aus, klebt es auf einen grünen, mit Palmen bedruckten Rest einer Tapete und macht sich auf den Heimweg.

Mariechen ist auch unterwegs. Sie stapft durch den Schnee, trägt schwer an der Tasche mit den Geschenken. Liebevoll eingepackt von den Geschwistern, etwas Tannengrün, eine Kerze, selbst gebackene Plätzchen und gestrickte Pullover. Es ist friedlich, »süßer die Glocken nie klingen ...«, das Lied noch auf den Lippen schaut sie in die weihnachtlich geschmückten Wohnungen fremder Menschen. Von weitem sieht sie das Licht in ihrer Baracke und den Rauch aus dem Kamin.

Aufgeregt und mit klopfendem Herzen läuft sie das letzte Stück und hört Musik. Hans hat das Radio eingeschaltet, an diesem Tag erklingt Weihnachtsmusik. Sein Gesicht ist nicht mehr dunkel, es leuchtet, als er die Tür öffnet und Maria ins Zimmer bittet. Vor dem neuen Tapetenstreifen bleiben sie stehen, ihre Blicke gerichtet auf die Krippe der Weihnachtsausgabe des Kölner Stadt-Anzeigers.

»Spürst du Hans, es ist das Fest der Liebe.«

Sie zünden die Kerze an, streifen die Pullover über und finden auf dem Tisch einen Platz für den Kaffee. »Ist es nicht wunderbar« sagen sie, schauen sich in die Augen und auf das neue Muster der Tapete.

Weil es eine Weihnachtsgeschichte ist, endet sie hier. Im wahren Leben geht es weiter mit Maria und Hans. Sie bleiben ein glückliches Paar, beziehen eine Wohnung und bekommen

einen Sohn und eine Tochter. Hans nimmt teil an einem Preisausschreiben und gewinnt für Mariechen einen hochmodernen NEFF-Küchenherd.

Die Zeitung bezeichnet Maria als die beste Hausfrau des Jahres – aber das ist eine andere Geschichte.

Schwarz-Weiß

Für jede Abwechslung sind sie zu haben in diesem Dorf, das etwa 20 km von Köln, der nächsten Großstadt, entfernt liegt.

Der Name des Dorfes endet auf »scheidt«, was bei den Bewohnern rege Diskussionen hervorruft. Hier scheinen sich die Geister zu scheiden, bedeutet scheidt, in Anlehnung an scheiden, das Scheiden von der Großstadt oder einfach nur: Scheiden tut weh? Sind die Bewohner einfach gescheite Leute oder ist der Ursprung gar auf Scheitern zurück zu führen? Auslegungen gibt es viele und eigentlich ist es auch egal.

Die Umgebung ist öde, viel Landschaft, wenig Aussicht, einige Kühe, gepflegte und vernachlässigte Häuser, der Dorfplatz mit der Schützenhalle und natürlich die Kirche. Morgens und nachmittags fährt der gelbe Schulbus und dreimal täglich der Linienverkehr. Andere Mobilitäten sind Traktoren für die Arbeit auf dem Feld und Autos, die an Samstagen für die Sonntage herausgeputzt werden.

Was auffällt, ist das große Schwimmbecken am Dorfrand. Mit seinem verblassten Blau so etwas wie ein Lichtblick. Eine wohlhabende Familie aus Köln hatte es vor Jahren bauen lassen. Das Becken grenzte an das dreistöckige Wohnhaus, das für das Ehepaar dann doch wohl um einige Nummern zu groß war. Außerdem passte es, genau wie sie selbst, nicht in die Landschaft. Recht schnell verließen sie wieder das Haus mit dem Schwimmbad.

Seitdem steht das Gebäude leer und wird aus der Ferne mit Kopfschütteln betrachtet.

Der Bürgermeister ist darauf bedacht, dass dies nicht zu einem

Schandfleck seines Dorfes wird und entschließt sich, mit überschüssigem Geld aus der Finanzkasse und einer großzügigen Spende wegen Übertretung der Baumaßnahme auf dem Gelände eine Art Freizeitpark zu errichten. Letztendlich reicht es jedoch nur für eine Kombination aus Hallen- und Freibad.

Diese Bäder werden zum Erholungsgebiet der Bewohner von Breitscheidt! Vormittags in Verbindung mit einem Kaffee in der Cafeteria genutzt von den Frauen. Am Nachmittag toben die Kinder durch die Wellen und am Wochenende treffen sich alle.

Immer wieder stellt sich die Frage, was es mit diesem 10-Meter Turm auf sich hat?

Dass er dort steht, kann nur an der Architektur des dazu gehörigen Hauses liegen.

Jedenfalls betrachtet man dieses Objekt nach wie vor mit Kopfschütteln und Respekt und es hat noch keinen Mutigen gegeben, der den Sprung vom Turm gewagt hätte.

Sie springen mit Vergnügen vom Beckenrand, die Langeweile hat einen Gegner gefunden.

Das Interesse am Schützenfest in der dafür vorhandenen Halle hat dagegen nachgelassen. Gefeiert wird in der Gaststätte und die große Schützenhalle steht unbenutzt in der Landschaft, besser gesagt, in der Mitte des Dorfes.

Es sind die älteren Bewohner, die mit schwermütigen Herzen auf die schöne Halle schauen, die mit Bruchsteinen gebaut, mit roten Dachziegeln gedeckt und grünen Fensterläden verziert wurde und somit etwas ganz Besonderes ist.

In den Erinnerungen werden die Bilder an rauschende Feste mit viel Alkohol wach.

Heute trifft sich die Jugend vor der Hallentür. Sie zeigen sich gegenseitig schicke Fahrräder und erste Mofas. Mit großen Kästen, Musikanlagen, die sie lässig auf der Schulter tragen, imponieren die Jungen den Dorfschönen. Junge Mädchen mit den ersten Flirtversuchen und ständigem Kichern. Am Abend verlassen sie den Platz stets mit einer Ansammlung von Zigarettenkippen, die auf dem Boden liegen und den Unmut der Bewohner in der Nachbarschaft hervorrufen.

Mit all diesen Dingen soll es bald vorbei sein. Eine klare Ansage des Bürgermeisters besagt, dass Flüchtlinge aus Syrien, Afghanistan und wer weiß woher in ihre Schützenhalle einziehen werden.

Das ist beschlossene Sache, in Köln gibt es keinen Platz und hier steht eine große Halle leer, also keine Diskussion.

Die Bewohner sind geteilter Meinung.

Viele haben Mitleid, »irgendwo müssen die ja bleiben, wenn man die Bilder aus dem Fernseher sieht, schrecklich.«

Andere führen heftige Diskussionen und geben in Gedanken und Äußerungen den Politikern die Schuld an der ganzen Flüchtlingsproblematik.

Dann gibt es noch die mit der Meinung: »Unser Dorf soll sauber bleiben«; wie sie das meinen ist klar, deshalb reden sie auch nur hinter vorgehaltener Hand.

Neugierig sind alle, man geht jetzt öfter aus dem Haus, spaziert bis zur Halle, interessiert sich für die Renovierung und Einrichtung, führt Fachgespräche. Über die Anzahl der Feldbetten auf der ehemaligen Tanzfläche sind sie empört. So etwas geht gar nicht.

Eine Gruppe der guten Menschen organisiert sich, geht von Haus zu Haus, sammelt, was noch zu gebrauchen ist: Haushaltsgegenstände, Bekleidung und vor allen Dingen große Decken.

»Lieber Herr Bürgermeister, wenn schon Flüchtlinge bei uns wohnen, dann bitte in einer menschenwürdigen Unterkunft. Etwas Intimsphäre braucht jeder. Die großen Decken dienen der Einteilung der Halle in viele kleine Zellen. Wir machen das schon.«

Die Dickköpfigkeit der Dorfbewohner ist dem Bürgermeister bekannt. Er hat keine Chance, etwas dagegen zu tun und bangt um sein Bier, das ihm sonntags beim Frühschoppen großzügig spendiert wird.

Egal wie die Bestimmungen lauten, Brandschutzgefahr hin oder her, an den nächsten Wochenenden wechseln die Handwerker. Für die Einen ist Feierabend, sie fahren nach Köln, für die Anderen beginnt die Arbeit. Das Leben in der Halle muss gemütlicher werden.

An einem regnerischen Samstag ist es dann soweit.

Ein Bus mit Kölner Kennzeichen hält auf dem Platz, der jetzt sauber gefegt von den Zigarettenkippen ist. Die Flüchtlinge steigen aus, stehen herum und werden aus neugierigen Augen hinter Gardinen beobachtet. Vor der Halle stehen einige Mutige mit ihren Regenschirmen und begrüßen die Fremden. Dass einige davon schwarz sind, muss erst verdaut werden.

Für den kommenden Sonntag ist schon ein Willkommenstreffen auf der großen Wiese hinter der Halle geplant, hoffentlich scheint die Sonne. Die netten Leute backen Kuchen oder bereiten große Schüsseln mit Kartoffelsalat. Für die Kinder stehen Spielzeug, Roller und Rädchen bereit. Von der Idee, weiß-rote Wimpel zu spannen, hat man abgesehen.

Am Sonntag kommen fast alle Dorfbewohner, von den Flüchtlingen nur etwa die Hälfte, hauptsächlich Väter und Kinder.

Die Schwarzen sind Jugendliche, allein, ohne Familie. Sie grinsen und suchen als Erste den Kontakt zur Dorfjugend. Schlendern um die aufgemotzten Mofas und polierten Crossräder. Die deutschen Jugendlichen verlegen, treten von einem Fuß auf den anderen und sagen »Hi.«

Im Laufe der Zeit gewöhnt man sich aneinander; wie es im Einzelnen aussieht, überlässt man den dafür Zuständigen. Zu bemängeln gibt es immer etwas. Im Grunde aber bleibt jeder für sich und was erzählt wird, sind meist Gerüchte.

Der Bürgermeister verteilt Freikarten für das Schwimmbad an die Flüchtlinge. Die Schützenhalle verfügt nicht über genügend Duschen, so dass dieses Geschenk dankbar angenommen wird. Für die Dorfbewohner die Gelegenheit, die Flüchtlinge aus einer anderen Perspektive zu sehen. Das Bad ist so gut besucht wie nie und die Freikarten dadurch indirekt bezahlt.

Kinder, Väter und Jugendliche tummeln sich im Nichtschwimmerbecken, Frauen in Ganzkörper-Badeanzügen schleichen sich vorsichtig unter die Dusche.

Mit einem Mal wird es ruhig, still. Selbst das Wasser erholt sich von der wilden Planscherei und schaukelt sanft die Körper. Die Augen schauen alle in eine Richtung. Auf den 10-Meter-Turm! Hoch oben steht eine schwarze Gestalt in einem schneeweißen Bademantel.

»Der Neger wird doch wohl nicht ...?«

Man flüstert, »wo sollen die denn schwimmen und springen gelernt haben. In der Wüste gibt es doch kein Wasser, oder?«

Es ist eine Premiere, nie zuvor hat jemand sich getraut, die Treppe empor zu steigen und auf dem Sprungbrett zu stehen. Ein Schwarzer schon mal gar nicht. Der Junge wippt auf den Zehen, das Brett bewegt sich. Mit einer eleganten Bewegung streift er den Bademantel ab, der jetzt zu Boden fällt. Zu sehen ist eine schwarze Gestalt, schmal und schön in einer roten Badehose. Die Gesichter der Zuschauer blicken gebannt nach oben, der Junge schaut in die Tiefe.

Dann springt er, arglos, einfach so, nicht zuerst mit dem Kopf und ausgestreckten Händen, nein, einfach so in die Tiefe.

Ein Aufklatschen, ein Aufschäumen des Wassers, erstickte Laute, bevor ein Schrei durch die Menge geht.

»Der Junge taucht nicht wieder auf.«

Schon tauchen die Jugendlichen unter Wasser, ein wildes Getümmel, Rettungsversuche sind in vollem Gang.

Hilflos steht der Bademeister am Rand des Beckens, lächerlich sieht er aus mit der langen Stange und den gelben Nudeln.

Die Sekunden werden unendlich lang, bis es geschafft ist, den schwarzen Körper an den Rand zu ziehen. Er liegt auf weißen Kacheln. Die Jugendlichen klopfen seine Wangen und drücken auf seinen Bauch. Sie feuern sich gegenseitig an, rufen »Komm schon Junge!« und sie haben nicht mehr den Blick von Kindern.

Wasser läuft aus dem Mund – endlich.

Ein erlösendes Lachen, die Jungen jubeln und trommeln vor Freude weiter auf den Bauch.

»Gratuliere, du bist der Erste aus Breitscheidt, der es gewagt hat, vom Turm zu springen. Du bist ein Held! Machst unserem Dorf alle Ehre!

Gib Fünf!«

Die Stimmung ist großartig, es gibt kein anderes Thema. Der Schwarze weiß nicht, was mit ihm geschieht, Auf den Schultern der Anderen wird er durch die Schwimmhalle getragen. Er lacht und bekommt glatt Lust, noch einmal zu springen.

Oleg, das erste Mal

Oleg und ein Ball, anders ist es nicht möglich. Jeden Tag das gleiche Bild, Oleg mit nass geschwitzten Haaren, die an seinem Kopf kleben; mit einer Hand lüftet er sein Käppi, mit der anderen schüttet er Wasser in ein Glas.

Den Ball zwischen die Beine geklemmt zwinkert er mir aus schrägliegenden Augen, die seine mongolische Abstammung zeigen, zu. Er setzt das Glas an den Mund und nichts darf ihn jetzt stören, wenn das Wasser durch seine Kehle rinnt. Wasser ist die Kostbarkeit, die ihm alles gibt, was ihm gerade in diesem Augenblick wichtig ist.

Das Spiel mit dem Ball hat müde gemacht, er ist erschöpft. Die ewigen Versuche, den anderen mit dem Ball auszuweichen und anschließend in den Korb zu treffen, hat ihn ausgelaugt und ihm gleichzeitig unwahrscheinlichen Spaß gemacht. Dieses Spiel ist ein Spiel und trotzdem eine Herausforderung, auf die er sich einlässt und die ihm alles abverlangt.

Er nutzt seine Energie, mit aller Kraft zu springen, den Ball auf den Boden zu prellen und oben in den Korb zu treffen. Konzentriert und trickreich spielt er so lange, bis er mit einem Lachen die Hände zum Himmel streckt und ein jubelndes »Jaa« von sich gibt.

Das Spiel in der langen Mittagspause nach dem Unterricht. Eine Stunde bleibt, sich auszutoben, zu trinken und zu essen. Seit zehn Monaten ist er in Deutschland und besucht diese Schule. Er ist klug und hat die Sprache schnell gelernt. Sein bisheriges Leben in Kasachstan war für ihn und seine Familie als Nicht-Russen unerträglich. Fürchterlichen Repressalien ausgesetzt sahen sie die Chance, ein neues Leben in Deutschland anzufangen.

Ich betreue die Kinder der Spätaussiedler in ihren Freistunden in der Schule; Oleg hat schnell Vertrauen zu mir gefasst.

Es war direkt ein guter Draht zwischen uns. Nicht nur einem temperamentvollen Jungen, sondern auch einer empfindsamen Seele bin ich begegnet.

Die Schicksale der Kinder berühren mich immer wieder.

Die Geschichte, die Oleg mir mit trotziger Stimme als lustiges Erlebnis zu erzählen beginnt endet damit, dass sein Atem kürzer wird, die Stimme belegt ist und seine Augen sich mit Tränen füllen.

Er lässt es zu, dass ich ihn in den Arm nehme, nur für einen kurzen Moment. In Kasachstan hatte man ihn in eine Mülltonne gesteckt, den Deckel verschlossen und über die Hauptstraße durch das ganze Dorf gerollt. Die Strecke sei lang gewesen und die Angst riesengroß.

Für den Vater dann der endgültige Anlass, mit der Familie das Land zu verlassen.

Bei den Mitschülern ist Oleg der Star. Seine gute Laune ist ansteckend und da fast alle ähnliche Erlebnisse in der Vergangenheit hatten, bewundern sie seinen Frohsinn und Optimismus.

Betritt Oleg den Raum, begrüßt er die Freunde laut mit ihren Namen und einer kameradschaftlichen Berührung.

An den meisten Tagen ist es so.

An anderen Tagen kann es passieren, dass er verhalten neben dem Radio hockt, ohne hin zu hören oder in einer Zeitschrift blättert, ohne zu lesen. Dann ist er nervös und ich lasse ihn in Ruhe. Dass ich jederzeit für ihn da bin, weiß er.

Der Aufenthaltsraum ist ein großes Klassenzimmer, aufgeteilt in kleine Abteilungen. Auf einem langen Tisch liegen Bücher und Hefte bereit für die Hausaufgaben. In einem großen Regal befinden sich Spiele: Kartenspiele, Mensch ärgere dich nicht, Domino,

Schach und weitere Gesellschaftsspiele sowie Malstifte, Wasserfarben und Bastelsachen. Die geschlossene Seite des Regals bildet eine Trennwand, hinter der die älteren Schüler Platz finden. Hier machen sie es sich bequem, hängen in den Sesseln und auf dem Sofa, legen die Füße auf den Tisch und genießen die Wärme des dicken Teppichs. Sie blättern in Zeitschriften und suchen im Radio ein Lieblingslied oder einen Bericht in ihrer Sprache.

Gerade kommt Christoph, ein kleiner, runder, polnischer Junge zu mir. Ich sitze in einer weiteren abgetrennten Ecke und Christoph will mir unbedingt etwas Wichtiges mitteilen. In seinem runden Gesicht sitzt eine runde Brille, die Wangen sind gerötet und aufgeregt berichtet er, was er heute über die Bedeutung seines polnischen Namens erfahren hat. Sein Familienname Dudek heißt auf Deutsch: Wiedehopf. Da er Vögel liebt, ist er überglücklich.

Sein Berufswunsch ist es, Apotheker zu werden. So würde er regelmäßig Medikamente für die kranke Mutter und die kleine Schwester bereit haben.

Oleg steht vor der Spüle und trinkt ein Glas Wasser. Die mandelförmigen Augen sind zu einem Spalt geworden. Das Wasser geräuschvoll zu schlucken und anschließend zu rülpsen sind sein Markenzeichen. Mit der Hand wischt er die letzten Wassertropfen vom Mund und gibt dem kleinen Igor, der schon ungeduldig darauf wartet, den Basketball, der zwischen seinen Beinen klemmt.

Er ist in der achten Klasse und macht es sich auf dem Sofa gemütlich.

Manchmal wünsche ich mir zu wissen, was in den Köpfen von Anton, Sergej, Alexandra und Ludmilla vor sich geht. Vorsichtigen Fragen weichen sie mit einem Lächeln aus, sie sind noch nicht soweit. Es ist sehr viel, was sie zu verarbeiten haben.

Die neue Heimat, das Wohnen in den Unterkünften mit vielen fremden Menschen, die Lebensbedingungen der Familien, die fremde Sprache, das Heimweh und vieles mehr. Hier in der Schule fühlen sie sich verbunden mit den Landsleuten, verlieben sich zum ersten Mal. Sergej hält die Hand von Helena und Oxana legt die Beine auf den Schoß von Alex.

Erna, die Neue aus der fünften Klasse, weint heftig. Mit langen Zöpfen, einem geblümten Kleid und weißen Strümpfen sieht sie wie aus einem Bilderbuch vergangener Zeiten aus. Lydia hält ihre Hand und spricht tröstend auf sie ein. Ich nehme sie auf den Schoß und schicke Maxim weg, der unbedingt dabei sein will.

***

Nach den Sommerferien tritt dann die Veränderung ein. Es sind nicht nur die sonnengebräunten Gesichter, die eine Änderung ausmachen. Sechs Wochen machen aus kleinen Mädchen Teenager, junge Damen mit lackierten Fingernägeln, langen Haaren und Erhebungen unter den Blusen. Scheue Blicke wechseln zwischen ihnen und den Jungen.

Olegs Stimme ist tiefer geworden. Die Arme sind muskulös, die Bewegungen ungelenk und eckig. Was sich nicht verändert hat, ist sein nach wie vor umwerfendes Lächeln in einem Gesicht mit den ersten Bartstoppeln. Hoch konzentriert steht er am Fenster, die Hände in den Hosentaschen gehen seine Augen suchend über den Schulhof.

Die Sonne scheint kräftig und die Schüler suchen Schatten unter den drei großen Bäumen, um die quadratische Kästen als Sitzplätze gebaut sind. Verhaltenes Lachen ist zu hören, es ist ein gutes Gefühl, nach so langer Zeit in vertraute Gesichter zu blicken.

Mit Olegs Ruhe ist es vorbei, er atmet tief durch, bevor er mit Riesenschritten auf den Schulhof geht. Schnurstracks steuert er auf Karin zu, die gerade das Hauptgebäude verlässt.

Wie zufällig gesellt er sich neben das Mädchen, neigt charmant den Kopf zu ihr und es ist unmöglich, dass Karin ihn übersehen kann. Sie kommen ins Gespräch, die Hände lösen sich aus den Hosentaschen, Oleg zeigt auf einen freien Platz unter den Bäumen. Karin ziert sich ein wenig, hebt die Schultern hoch und ist dann doch bereit, sich mit angezogenen Beinen zu setzen. Die Gesichter einander zugewandt reden sie miteinander.

Als die Pause zu Ende ist, begleitet Oleg Karin noch zum Ausgangstor. Sie dreht sich einmal zu ihm und winkt.

Bevor er zum Unterricht geht, springt Oleg noch bei mir vorbei, den hochroten Kopf und die Anspannung kenne ich, seine Stimme ist heiser:

»Oh Mann, haben sie uns gesehen?

Wie finden Sie Karin?

Für mich ist sie einfach klasse.«

Er weiß nicht, wohin mit seinem Glück, ist aufgeregt, hampelt von einem Bein auf das andere.

Ich kenne Karin, das dünne schlaksige Mädchen, das schon seit drei Jahren hier Schülerin ist. Sie kam als Spätaussiedlerin aus Polen und lebt mit ihren Eltern noch in einer Notunterkunft. Sehr schnell hat sie Deutsch gelernt, sodass sie nachmittags nicht mehr am Förderunterricht teilnehmen muss.

Karin ist schmal und sehr groß, sie trägt dunkle Jeans, ein dunkles T-Shirt und Turnschuhe, nichts Auffälliges. Braune Haare bis auf die Schultern, ein seitlicher Scheitel lässt es zur Seite fallen. Man muss genau hinsehen, um ihren Liebreiz zu erkennen. Fast spröde wirkt sie, wäre da nicht das Lächeln, das nicht nur ihren Mund umspielt, sondern das gesamte Gesicht erfasst.

Karin, die nicht viel spricht, sich zurückhält und still beobachtet. Womit mag sie das Herz von Oleg erobert haben?

Ich freue mich für ihn und sehe mit großer Freude, wie die Freundschaft der beiden wächst. Oleg versteht es, Karin aus der Reserve zu locken und sie öffnet sich. Die Liebe zum Basketballspielen ist das Erste, was er mit ihr teilt, er wird zu ihrem Lehrer. Geschickt mit ihren langen Armen ist es ein Leichtes, den Korb mit dem Ball zu treffen. Es ist warm, sie spielen in kurzen Hosen und luftigen Trägerhemden.

Oleg zeigt seine Muskeln und Karin ihre Geschmeidigkeit. Er feuert sie an, ruft ihren Namen und »Bravo.«

Die anderen Mitspieler nimmt er nicht wahr, er sieht nur seine erste Liebe und wirft gekonnt den Ball so nebenbei in den Korb.

Er ist der altbekannte Oleg, wenn ihn der große Durst überkommt.

Mit Karin an der Hand zwinkert er mir die gewohnte Begrüßung zu, füllt zwei Gläser und trinkt in großen lauten Schlucken. Das Rülpsen hat er vergessen, aber wie gewohnt, wischt er mit dem Handrücken über seinen Mund; über den von Karin ganz behutsam mit zwei Fingern.

Es ist klar, Oleg und Karin »gehen zusammen«. Sie sind ein Paar, selbstverständlich und akzeptiert von den Anderen. Ich erhalte stichwortartig Informationen.

»War mit Karin im Kino«

« Gestern im Schwimmbad«

»Heute gehen wir shoppen«

»Im Park haben wir uns geküsst«

»Sie lacht so schön«

»Ich soll mit ihr nach Hause gehen, weiß nicht so recht«

»Am liebsten wollen wir irgendwo allein sein, aber wo?«

Er wartet keine Antworten ab, ich bin sein Tagebuch.

Verlässlich – verschwiegen – griffbereit.

Nach dem Wochenende wartet er schon ungeduldig auf mich. Obwohl wir allein sind, dauert es eine Weile, bis es aus ihm herausbricht. Ich schaue in sein mongolisches Gesicht und sehe zum ersten Mal das Gesicht eines Jugendlichen.

»Es wäre so toll, wenn wir mal einen Raum für uns alleine hätten. In der Notunterkunft bei mir oder auch bei Karin ist es nicht möglich, allein zu sein. Zu viele Menschen, soviel Lärm und Unruhe.

Bei den Freunden ist es ähnlich und …«

Er schaut mich mit bittenden Augen an, »ist es vielleicht möglich, nach Schulschluss?« Er stottert herum »oder wird dann geputzt?

Kontrolliert der Hausmeister die Klassenräume oder?«

Ich nicke ihm zu, verstehe jetzt, wie schwer es ist, miteinander zu gehen.

Auf dem Schulhof gehen sie miteinander. Alex geht mit Helena, Igor mit Svetlana und Sergej mit Ludmilla. Sie gehen Hand in Hand zwischen den Bäumen und in unüberschaubare Ecken. Sie sitzen verträumt miteinander in der Sonne und verlassen verschämt miteinander den Schulhof. Sie schleichen hinaus, als wäre dieser Wunsch, allein zu sein und sich zu lieben, etwas Schuldhaftes.

Ich werde mir was überlegen und weiß gleichzeitig, dass jede Art von Hilfe meine Kompetenz überschreitet.

Wie kann ich es wagen, jungen Menschen die Hoffnung auf ein Liebesnest zu geben.

Während der nächsten Tage bin ich beschäftigt, vermeide den Kontakt zu Oleg und bin erstaunt, wie jovial er, ohne eine Erwartung, mit mir redet.

Der Sommer geht zur Neige, es ist regnerisch, die Schüler halten sich kaum mehr auf dem Schulhof auf.

Sie sitzen im Raum in der gemütlichen Ecke. Die, die miteinander gehen, lehnen aneinander und halten sich an den Händen. Es wird geredet und gelacht, ich verstehe nicht, was sie sagen und will es auch nicht wissen.

Oleg hält kurz meinen Ärmel, glücklich flüstert er:

»Karins Oma hat eine Wohnung bekommen; wir dürfen allein dort hin, Karin hat einen Schlüssel.«

Das bekannte Lächeln und die hochgezogenen Augenbrauen machen mich zur Mitwisserin.

Karin ist das ruhigste unter den Mädchen, ich habe nie erlebt, dass sie mit lauter Stimme oder lebhaften Gesten auffällt. Mit einer starken Präsenz sitzt sie mit in der Runde. Die Liebe, die sie mit Oleg erlebt, bewahrt sie wie einen geheimnisvollen Schatz.

Ein wunderschöner Herbsttag beginnt, es ist Montag. Das Wochenende liegt hinter den Schülern. Etwas verschlafen wirken einige und andere nutzen das strahlende Wetter für die letzten Spiele im Freien. Es ist noch ruhig und leer in der Schule.

Erst Oleg bringt Leben, ich sehe ihn am Eingangstor, er überschlägt sich fast, läuft an den Freunden vorbei, sieht mich am Fenster und gibt mir ein Zeichen. Ich verstehe und öffne die Tür. Mit einer geheimnisvollen Neuigkeit auf der Zunge zieht er mich am Ärmel. Wir sind noch allein im Klassenraum.

Oleg stellt sich vor mir auf, hält beide Hände triumphierend in die Höhe:

»Es ist passiert, stellen Sie sich vor, gestern in Omas Wohnung. Wir waren allein, es war so schön, es musste so kommen, es gehört dazu. Ich habe mit einem Mädchen geschlafen, mit Karin und es ist das Beste, was ich bis jetzt in meinem Leben gemacht habe. Ich habe mit einem Mädchen geschlafen, es war unbeschreiblich, einfach krass und genial, wir waren unglaublich glücklich. Ich werde immer für Karin da sein. Es ist wunderbar.«

Er nickt mir zu und lächelt wie verzaubert!

Das Märchen von starken Männern

Unterwegs auf seinem täglichen Weg zum Meer sah der Fischer Hüseyin sie bei der Feldarbeit. Ihr rotbuntes Kopftuch, das immer wieder zwischen Gemüse und Maiskolben leuchtete, das Signal, das ihn traf und das ihn lockte.

Hüseyin näherte sich langsam, wartete, bis sie sich aufrichtete, den angestrengten Körper streckte und den Blick übers Feld schweifen ließ. Er konnte den Blick nicht abwenden und es dauerte nicht lange, bis er auf sie zu schlenderte.

Um ihn war es geschehen, täglich lief er über die Felder, traf sie und sprach verliebte Worte.

Fatma lachte, legte den Finger auf die Lippen, wollte nicht, dass sie beide von anderen wahrgenommen wurden.

Hüseyin erzählte von seinen Wünschen: eine eigene Familie wollte er, ein kleines Häuschen bauen. Die gefährliche Fischerei nachts auf dem Meer aufgeben, Verantwortung für Frau und Kinder übernehmen. Das war ihm wichtig.

Fatma hörte ihm zu und gestand nach einiger Zeit, dass ihre Wünsche ähnlich seien. Sie wollte ein eigenes Reich, am liebsten sogar in einer anderen Gegend, einer Stadt vielleicht.

Sie wollte zusammen mit einem liebenswerten Mann glücklich sein.

Fatma hielt seine Hand, flüsterte in sein Ohr und war erstaunt über ihr ungewöhnliches Verhalten.

Diese Offenheit einem Mann gegenüber war unschicklich und gehörte sich nicht. Doch sie machten sie neugierig, die Gefühle, die sie keineswegs unterdrücken wollte und so wagte sie sich bei jedem Treffen ein wenig näher an Hüseyin heran.

Ihr Herz schlug wild, ihre Sehnsucht war groß und ihre Offenheit brachte es fertig, dass Hüseyin ihr gestand, Gedichte zu schreiben. Nachts auf dem Boot oder in seiner kleinen Hütte am Meer kamen ihm die schönsten Gedanken. Er schrieb nieder, was ihn berührte, jetzt widmete er ihr das, was er schrieb.

Die Sehnsucht nach einem gemeinsamen Leben wurde zum Mittelpunkt ihrer Gedanken und Gespräche. Zu diesem gemeinsamen Leben benötigte Hüseyin die Zustimmung von Fatmas Vater. Noch fehlte ihm der Mut dazu.

Er saß mit Fatma zwischen hochgeschossenen Halmen im Getreidefeld, niemand konnte sie beobachten. Das Kopftuch war abgelegt und Finger, die mit starken Seilen und scharfen Angelhaken kraftvoll umzugehen wussten, versuchten sanft den Weg durch unbändige Locken zu finden.

Fatma drängte, den Besuch beim Vater so schnell wie möglich zu absolvieren. Hüseyin übte die Worte, die er aussprechen wollte.

Die Sommerhitze lastete auf beiden, der Entschluss wurde gefasst und

in der Kühle des Abends machte sich Hüseyin auf den Weg zu den Eltern seiner Liebsten.

Sie kannten ihn von seinem täglichen Gang zum Meer. Sie tauschten Höflichkeiten aus und begegneten sich freundlich. Der Vater führte ihn in den Garten unter die Bäume. Als Höhepunkt eines jeden Tagestrank die Familie hier den abendlichen Cay.

Der friedliche Ausklang eines Tages in wohltuender Atmosphäre.

Der Name des Vaters war »Cuma«, was Freitag heißt. Er war ein gutaussehender Mann, groß und schlank mit breiten Schultern und wunderschönen Händen. Durch sein volles dunkles Haar zogen sich erste silbrige Fäden und der Schnurrbart gab dem ebenmäßigen, kantigen Gesicht einen verwegenen Ausdruck. Die Augen blitzten silbrig grün und sein Lächeln gestattete ihm, jede Frau zu verführen. Ihn anzusehen war ein Vergnügen. Die ungewöhnlich eleganten Bewegungen ließen nie einen Bauern vermuten, sofort hätte er in einem Hollywoodfilm mitspielen können.

Hier im Garten seines Hauses, in dem kleinen Dorf am Meer, wo er mit seiner Frau und den zehn Kindern lebte, legte er an diesem besonderen Abend freundschaftlich den Arm um die Schulter seines jungen Besuchers Hüseyin.

Cuma liebte es, im Kreis der großen Familie zu sitzen. Er lachte und scherzte, seiner Frau schaute er offen ins Gesicht und holte Wasser, als dies nötig war. Die Gespräche handelten von der Feldarbeit, dem Fischen und dem üblichen Dorfklatsch.

Mit der Zeit wurden die jüngeren Geschwister müde, für die anderen gab es Gründe, sich zurückzuziehen und der Kreis um Hüseyin wurde kleiner. Die Mutter und die ältesten Töchter blieben noch. Cuma forderte den Fischer auf, sein Anliegen vorzutragen.

Hüseyin bezog sich auf das übliche Ritual der Brautwerbung und begann mit den Worten: »Auf Allahs Befehl und mit Muhammeds Einverständnis möchte ich um die Hand deiner Tochter bitten.«

Traditionsgemäß erläuterte er anschließend seine finanziellen Verhältnisse und stellte Fragen nach den Geschenken für die Braut. Die Frage nach der Wohnung und der Termin für die Hochzeit mussten besprochen werden. Cuma hatte ein offenes Ohr und ein großzügiges Herz. Als Wohnmöglichkeit schlug er den Umbau der Scheune auf seinem Grundstück vor. Diese wurde nicht mehr genutzt und bot genügend Platz für eine junge Familie.

Hüseyin hatte einige Erbstücke seiner Mutter, die er der Braut als Goldgeschenke überreichen wollte. Die Männer waren sich einig, das Gespräch wurde vernünftig und verständnisvoll in ruhigem Ton geführt. Cuma freute sich auf das neue Familienmitglied, umarmte ihn herzlich und sagte aus tiefstem Herzen »Ja, ich weiß, dass du der richtige Mann bist. Bei dir wird es meiner Tochter gut gehen, du kannst meine Hatice glücklich machen.«

Hüseyin entzog sich der Umarmung. Das musste ein Versprecher sein.

»Cuma, ich sprach von Fatma, sie ist meine Liebe und um ihre Hand hielt ich an, du hast die Namen verwechselt.«

Cuma lächelte. »Du hast nie einen Namen genannt, ich habe acht Töchter und es ist selbstverständlich, dass die Erstgeborene auch zuerst verheiratet wird. Hatice ist genauso hübsch wie ihre Schwester, den Haushalt führt sie sogar besser. Da ihr in der Scheune neben unserem Haus leben wollt, ist Fatma in der Nähe, du kannst sie jeden Tag sehen. Eure Liebe ist noch biegsam, bestimmt wirst du es schnell merken, ob Hatice oder Fatma, du wirst dich rasch umgewöhnen. Fatma wird auch bald einen Mann finden und innerhalb der großen Familie ist es gut zu leben. Vorausgesetzt, jeder weiß, wo sein Platz ist. Ich verspreche, dass Hatice dich glücklich machen und Fatma nicht unzufrieden sein wird.

Willkommen mein Sohn.

Fassungslos schaute Hüseyin in die Runde. Fatma lächelte genauso freundlich wie Hatice.

Cuma hatte sich nicht geirrt. Er, Hüseyin war der Dumme, es hätte ihm klar sein müssen, die Älteste zuerst. Was sollte er nun machen? Er fühlte sich wohl in dieser Familie, hatte einen guten Kontakt zu Cuma, Hatice war nicht übel und der letzte Blick zu Fatma machte ihm klar, dass sie bereit war, den Platz zu Gunsten der Schwester frei zu machen. Blicke gingen hin und her und schließlich trat Hüseyin zu Hatice und fragte nach ihrem Wunsch. Bevor sie antworten konnte, suchte sie den Blick ihrer Schwester. »Unser Wunsch ist es, das zu tun, was unser Vater bestimmt. Er weiß, was das Beste ist für seine Kinder«.

Fatma saß wie erstarrt, die Augen wurden dunkel, der Gesichtsausdruck herb. Als niemand sie wahrnahm, schlich sie fort aus der Runde. Hüseyin hatte von nun an nur noch Augen für Hatice, seine Lust war so groß und er war bereit zu allem, was Cuma gesagt hatte. Der Hochzeitstermin wurde für den nächsten Monat festgelegt.

Roadmovie

Ein Brief von Zuhause! Wie schnell so ein Monat vorüber ist, erst vor Kurzem hatte die Schwester doch ausführlich geschrieben und alle Neuigkeiten von der Familie aus der Türkei mitgeteilt.

Ali schließt den Briefkasten, steckt den Brief in die Tasche und öffnete die Haustür. Endlich Semesterferien! Das heißt: erst einmal ausspannen. Der letzte Tag an der Uni war noch einmal anstrengend, jeder Arbeitsplatz musste aufgeräumt und die Reagenzgläsern gespült werden. Da halfen auch der Cognac oder das Bier, das die Kommilitonen mitgebracht hatten, nicht viel.

Clemens, der blonde, große norddeutsche Typ, der Cognac liebt und immer wieder den aussichtslosen Versuch startet, Ali von dem besonderen Geschmack zu überzeugen oder Rudi, für den es nichts Besseres als ein Glas kühles Kölsch gibt. Ali selbst trinkt beides weniger des Geschmacks wegen, die Freundschaft war ihm wichtig.

Heute hat er ein bisschen zu viel getrunken und spürt den schweren Kopf. Gleich will er sich aufs Sofa legen, wenigstens so lange, bis der Bruder von der Arbeit in ihre gemeinsame Wohnung zurück kommt.

Seit zwei Jahren lebt er hier mit Mesut, seinem älteren Bruder.

Mesut arbeitet als Elektroschweißer und er studiert an der Universität Chemie. In den Semesterferien hilft er dem Bruder bei der schweren Arbeit, doch jetzt ist erst einmal Wochenende.

Da möchte er Marianne wiedersehen, das deutsche Mädchen, das er vor einiger Zeit kennengelernt hat. Er muss oft an sie denken, es gefällt ihm, mit ihr zusammen zu sein. Einfach durch die

Stadt zu laufen, einen Kaffee zu trinken oder einfach die Äpfel, die er gekauft hat, bei einem Spaziergang durch den Park miteinander zu teilen.

An einem Tag war es so warm, dass sie auf einer Wiese am Rhein gesessen hatten und er seinen Kopf in ihren Schoß gelegt hatte. Abends in einer Bar waren sie sich sehr nahe gekommen, beim Tanzen hatte er sie geküsst und in seinem Gesicht ihre weichen blonden Haare gespürt.

Morgen würde er sie wieder sehen. Vielleicht würden sie sich mit anderen Freunden treffen, vielleicht würde Kumar, sein Freund, Ihnen für einige Zeit seine Wohnung überlassen, vielleicht würden sie auch zu Marianne nach Hause gehen.

Dass er Ausländer ist, spielt keine Rolle für sie.

Ali träumt und liegt so lange auf dem Sofa, bis der Bruder ihn unsanft rüttelt. In seinem blauen Arbeitsanzug steht er vor ihm. Müde sieht er aus.

Sein Gesicht ist noch rußgefärbt von den Arbeiten im Keller. Er hat Hunger und redet Ali dementsprechend in barschem Ton an: »Steh auf, während ich dusche, zauberst du etwas zu essen auf den Tisch.«

Ali erhebt sich schwerfällig, er hat noch seine Jacke an und der Brief fällt aus der Tasche. Mit seinen schwarzen Fingern hebt Mesut den Brief auf, öffnet ihn und liest. Seine Lippen murmeln die Worte, eine Falte zwischen den Augen wird enger, bevor er sich auf den Stuhl fallen lässt.

Ali schaut dem Bruder über die Schulter.

»Ist etwas passiert, was schreiben sie?«

Mesut reicht ihm den Brief. Tränen bilden weiße Streifen in seinem Gesicht.

»Muss leider mitteilen, dass euer Vater gestorben ist. Bereits im Januar, wir haben euch nicht früher benachrichtigt, weil wir Angst hatten, dass ihr euch in der kalten Jahreszeit, bei Eis und Schnee auf den langen Weg hierher macht. Das wäre zu gefährlich deshalb erst jetzt ...«

Immer wieder liest Ali die Zeilen und kann nicht mehr unterscheiden zwischen Wut, Trauer und Verzweiflung. Mesut starrt vor sich hin, schließlich geht er duschen und Ali kümmert sich um das Essen.

Brot, Tomaten und Käse auf dem Tisch ist ein schwacher Versuch, etwas Normales zu tun.

»Der Mutter können wir keinen Vorwurf machen, sie stand bestimmt unter Schock, die jüngeren Geschwister sind noch Kinder und verstehen nicht viel. Die älteren Geschwister und die anderen Verwandten meinten es gut mit ihrer Angst vor dieser Reise von 4000 km im Winter.«

Ali wird zunehmend wütend, er schreit: »Aber sie hätten anrufen können, warum haben sie nicht mit uns gesprochen?«

»Sie hatten Angst, sich zu verplappern.«

Mesut findet Erklärungen, die Ali nicht versteht.

Sie einigen sich darauf, dass Ali so schnell wie möglich die Reise in die Türkei antritt, am Grab des Vaters Abschied nimmt und der Familie ins Gesicht schaut.

Die Mahlzeit bleibt unberührt, schnell möchte Ali weg, allein in die Stadt zum Bahnhof die Fahrkarten zu besorgen. Mesut versucht währenddessen, eine Telefonverbindung zu der Familie in der türkischen Nachbarschaft herzustellen.

Am Bahnhof ist Ali nicht der einzige mit dunklen Haaren, der sich in die Reihe der Wartenden am Fahrkartenschalter einordnet. Vielen Landsleuten ist das Heimweh ins Gesicht geschrieben, alle wollen eine Fahrkarte nach Istanbul und von dort aus weiter mit Bussen, in ihr Dorf. Hier am Fuße des Domes wird türkisch gesprochen die Sehnsucht nach der Heimat liegt in der Luft.

Die Fahrkarte für die Reise durch Deutschland, Österreich, Jugoslawien und Bulgarien bis in die Türkei hat Ali sicher in der Tasche.

Jetzt will er Marianne sehen und ist froh über den Weg im Dunkel der Stadt. Es ist das erste Mal, dass er sie in ihrem Zuhause aufsucht, er ist nervös, hoffentlich wird sie da sein.

Marianne öffnet die Tür und erschrickt, als sie den Freund mit der Trauer im Gesicht sieht. Er redet nicht, zuckt mit den Schultern, schaut ihr in die Augen. Sie bittet ihn herein, während er nach Worten sucht.

»Mein Vater, wir haben gerade die Nachricht bekommen, mein Vater ist tot, gestorben an Nierenversagen, ich fahre in die Türkei, morgen, ich wollte dich vorher sehen und …«

Marianne legt die Arme um ihn, hält ihn und spürt seine Tränen. Sie hält ihn solange, bis er sich beruhigt, bis der Schmerz nachlässt und er in ein Taschentuch schniefen kann.

Bis Mitternacht bleibt er bei ihr.

Der Bruder fragt nicht nach, er sitzt gedankenverloren zu Hause, enttäuscht, niemanden in der Türkei erreicht zu haben.

Schweigend hebt Ali den kleinen Koffer vom Schrank, packt die notwendigen Sachen und legt eine Tüte mit Bonbons, die er vom Karnevalsumzug in Köln geschnappt hat, obenauf.

Schlaf finden die Brüder heute Nacht nicht, sie liegen auf ihren Betten, starren in die Dunkelheit und versuchen, mit dem, was geschehen ist, fertig zu werden.

Mit heiserer Stimme, wenigen Worten und einer kurzen Umarmung verabschieden sie sich am nächsten Morgen. Mesut geht seiner Arbeit nach und Ali allein zum Bahnhof.

Im Zug hat er das Abteil noch allein für sich und lässt sich ein auf das gleichmäßige Geräusch der rollenden Räder. Es rattert in seinem Kopf: -Vater tot – Ohnmacht – Angst – Wut – Trauer – Trost in Mariannes Armen.

Heute Abend wird er in München sein, während der nächsten Nacht durch Österreich fahren. An darauf folgenden Tag durch Jugoslawien. Von dort weiter durch Bulgarien bis an die türkische Grenze.

In Istanbul mit der Fähre über den Bosporus, von dort aus mit der Eisenbahn oder dem Bus in seine Stadt.

Die Reise durch den Frühling mit der erwachenden Erde und

dem Streben nach hellen freundlichen Tagen, im Gegensatz zu dem Ziel seiner Reise, dem Abschied von einem Toten.

Ali schließt die Augen, kurz vor München wird er wach. Zwei Stunden Zeit bleiben ihm, sich in das Menschengetümmel auf dem Bahnhof zu mischen. Er läuft mit der Masse und hat Sehnsucht nach Marianne. Da, wo sich eine Schlange bildet, ist es möglich, zu telefonieren.

An zwei Seiten ist die Telefonzelle geöffnet, Ali neigt den Kopf und hält den Hörer nah an das Ohr, er will nicht, dass die Leute mitbekommen, was er Marianne sagen will.

Sie ist zu Hause und glücklich, seine Stimme zu hören. Es ist so viel, was er sagen will.

»Bin jetzt in München, habe im Zug geschlafen, viele Menschen …«

Es dauert einen Moment, bis er es schafft, das zu sagen, was er fühlt. Dass er sie vermisst, dass er ständig an sie denken muss, dass er sie berühren möchte und gerne an den gestrigen Abend denkt.

Marianne hört zu, versteht das Durcheinander. »Es ist schön, dass du anrufst, es wird alles gut werden, ich warte auf dich«.

Ein langer Weg liegt vor ihm, immer wieder sind es die Gedanken an den Vater die in seinem Kopf herumgeistern. Er trinkt einen Kaffee, kauft ein belegtes Brot, eine Flasche Wasser und einige Äpfel.

In dem Zug, der ihn nach Belgrad bringt, sitzt er nicht mehr allein. Es ist eng, die Gepäcknetze sind beladen und nicht nur mit Koffern. Übereinander gestapelt liegen dort fest verschnürte Kartons. Die Schrift

»Vorsicht zerbrechlich« fällt ihm ins Auge und zieht seinen Blick, wie in einer Endlosschleife, immer dorthin.

Drei Männer und zwei Frauen sitzen mit im Abteil. Die Frauen schüchtern, schauen auf die im Schoß zusammengelegten Hände. Eine junge Frau sitzt neben Ali und es gefällt ihm, dass ihre Schultern sich berühren. Die Männer grüßen gut gelaunt mit einem »Grüß Gott.« Einer holt aus eine kleine Flasche Schnaps aus der Brusttasche und prostet den Mitreisenden zu. Genüsslich nimmt er einen großen Schluck, leckt ausgiebig seine Lippen und schließt die Augen.

So nach und nach erreicht das eintönige Rollen der Räder seine Wirkung. Es ist dunkel, die Notbeleuchtung bringt diffuses Licht, die Reisenden sitzen träge und versuchen, noch ein wenig die Augen offen zu halten. Ein leises Schnarchen aus dem Mund des älteren Mannes erinnert an den Vater. Ali verkriecht sich unter der Jacke, die er über sich gelegt hat. Der letzte Blick aus dem Fenster bestätigt ihm, dass er bei der Rückreise auf jeden Fall die Reise durch die schönen Landschaften Österreichs tagsüber unternehmen wird.

Dann schläft er ein und wird erst kurz vor der jugoslawischen Grenze von der Grenzkontrolle geweckt. Es ist noch sehr früh am Morgen, die Leute in seinem Abteil werden lebhaft, sie reden in ihrer Muttersprache und fühlen sich schon fast zu Hause. Ali versteht kein Wort, nimmt aber gern den Tee aus der Thermosflasche und isst mit großem Appetit ein Stück Brot und den Schinken, das ihm die ältere der beiden Frauen anbietet. Auf dem Flur ist Gedränge, alle sind wach geworden. Die Menschen recken und strecken sich, bringen die verdrehten Körper in die richtige Position und suchen die Toilette auf. Ein Mann öffnet kurz das Fenster im Abteil und atmet mit offenem Mund und geschlossenen Augen die Luft der Heimat.

Die typische Geschäftigkeit hat etwas Vertrautes.

Als wieder Ruhe einkehrt, macht er sich auf den Weg und spaziert den Gang entlang, von einem Waggon in den anderen. Alle sind voll besetzt. Die Fenster der Abteile sind beschlagen und der Geruch von Schweiß und Lebensmitteln vermischt sich.

Zurück auf seinem Platz vertieft er sich in die Seiten des Reader's Digest, der Lieblingslektüre von Mesut, der sie in die Seitentasche des Koffers gesteckt hat.

In Jugoslawien zieht sich die Fahrt durch die eintönige Landschaft und ist langweilig. Träge hängt Ali in dem Sitz und ist froh, als es im Waggon lebendig wird.

Aufgeregt werden die Koffer und Kartons auf die Sitze gelegt. Ungeduldige Kinder weinen, die Mütter trösten sie mit erhitzten Gesichtern.

In Belgrad hat man gerade 40 Minuten Zeit auszusteigen, die Koffer und Pakete aus dem Zug zu hieven, die Kleider in Ordnung zu bringen und Ausschau nach den Lieben zu halten.

Ali beobachtet das Treiben vom Fenster aus, ihm gefallen die jungen Paare, die sich in die Arme fallen und alles um sich herum vergessen. Die Väter, die nach langer Zeit ihre Kinder wiedersehen, sie hochheben und voller Stolz betrachten und den Müttern schüchterne, sehnsuchtsvolle Blicke zuwerfen, deren Wärme sie so lange entbehrt haben.

Eine junge Bäuerin verkauft Brot und Obst; von den gekochten Eiern, die sie anpreist, nimmt er drei und noch den bröckelnden weißen Käse, der in kleine Plastikbeutel gebunden ist.

Bei der Weiterfahrt haben sich die Abteile geleert, die nächsten Orte sind nicht so interessant und die bulgarische Grenze wird in zwei Stunden erreicht sein.

Es ist kalt im Zug, Ali legt die Beine hoch und deckt sich, so gut es geht mit der Jacke zu. Seine Gedanken nutzen diese langweilige Strecke und springen von einem zum anderen.

Wie mag es in Köln sein, wie mag es Murat so ohne seine Hilfe bei der Arbeit gehen?

Schwere Bleche in enge Keller zu schleppen und in dunklen, niedrigen Räumen Öltanks zu schweißen, ist nicht gerade angenehm.

Was mag die Mutter machen, so ohne den Vater an der Seite?

Zum Glück hat sie ihre Kinder in der Nähe. Die älteren, verheirateten Geschwister würden sich um sie kümmern. Die jüngeren Geschwister, die Mädchen, gehen noch zur Schule und würden die Mutter ablenken von traurigen Gedanken.

Den Vater nicht mehr in der Familie und im Haus zu haben, konnte er sich gar nicht vorstellen. Sein Vater, die kleine, flinke Person die schlagfertig auf alles eine Antwort wusste, der das Leben mit hin und wieder einem Glas Rakı und einem Frühstück, allein mit seiner Frau und einem starken türkischen Kaffee, geliebt hat.

Und Marianne? Gerne hätte er sie dem Vater vorgestellt, der ausländische Frauen mochte, die er charmant, ohne deren Sprache zu sprechen, unterhalten konnte. Marianne hätte ihm gefallen.

Ali vermisst die Freundin und schwört, sie bei der nächsten Reise in die Türkei mitzunehmen. Unbedingt müsse er eine Liste machen, mit all dem, was er ihr zeigen wolle.

Eine Fahrkartenkontrolle holt ihn zurück in die Gegenwart, intensive Blicke unter der breiten Krempe der Schaffnermütze sollen wohl Eindruck erwecken. Obwohl noch in Jugoslawien begegnen sich die Beamten zweier Länder in den Waggons, auf den Gängen und in den Abteilen.

Zu erkennen sind die Bulgaren an der ärmlichen Uniform und den ruppigen Anweisungen. Mit Taschenlampen leuchten sie in die Gesichter und in dunkle Ecken. Sie überprüfen die Sitze, steigen darauf und schauen sich die Gepäcknetze an.

Ali wird gebeten, seinen Koffer zu öffnen. Mit dem Griff der Taschenlampe zeigt der Beamte auf ihn und den Koffer. »Aç«, das türkische Wort hat er sich angeeignet.

Mit der ausgestreckten Hand zeigt Ali auf den Inhalt des Koffers. Der Beamte stochert mit der Taschenlampe auf dem Beutel mit den bunten Bonbons. »Tatlı«, Süßigkeiten, sagt Ali.

Die bulgarischen Beamten sind mürrisch, sie erwarten Trinkgeld. Typisch für die Armut in diesem gespenstisch wirkenden Land, Ali hat Mitleid.

Weiterfahrt in diese Trübsamkeit dann auf einmal das blau aufleuchtende Schild mit dem Namen der türkischen Grenzstadt: EDIRNE.

Ali ist in der Türkei! Obwohl es 2:00 Uhr nachts ist, fühlt er sich so wie vor ihm die Reisenden in Österreich oder Jugoslawien.

Sein Herz pocht aufgeregt und die Freude, angekommen zu sein, macht ihn hellwach. Bis in seine Stadt ist es zwar noch sehr weit, dauert es noch sehr lange, doch das Gefühl, zu sprechen und verstanden zu werden, vertraute Gesichtszüge zu sehen und einen Tee in den unverkennbaren, typischen Gläsern zu halten, den Zuckerwürfel mit dem kleinen blechernen Löffel zu rühren und den ersten Schluck mit einem genussvollen »Ah« zu unterstreichen, macht aus ihm ein Kind seiner Heimat.

Auf dem Bahnsteig atmet er die Luft, die nach Zigaretten und Wärme schmeckt und flieht vor unzähligen Motten, die in unerhört großer Zahl um die Laternen und Lichter der Zollkabinen fliegen. Es kommt ihm vor wie eine Invasion flatternder Ungeheuer. Die Menschen schlagen mit den Händen oder zusammengeklappten Zeitungen nach den lästigen Biestern.

Ali läuft und ist froh, im Zug zu sitzen; hier durchs Fenster zu sehen macht ihm wieder Spaß.

Das Warten dauert und dauert, er legt solange die Beine hoch, bis ein älterer Zollbeamten kommt und den Grund seiner Reise wissen will.

Unwirklich schaut Ali ihn an »mein Vater ist tot, plötzlich gestorben, ich muss zu seinem Grab.« Er kann die Tränen nicht zurückhalten und schämt sich für sein unmännliches Verhalten.

Der Beamte drückt ihn auf den Sitz, legt sanft die Jacke über ihn, küsst ihn auf den Kopf. »Schlaf mein Junge, schlaf weiter«, er wartet einige Zeit, bevor er das Abteil verlässt.

Als das Tageslicht ihn weckt, sitzt eine ältere Frau, eine Bäuerin, die nach Äpfeln riecht und ein schlafendes Kind auf dem Schoß hält, neben ihm. Sie versucht mühevoll, die Augen aufzuhalten. Jedes Mal, wenn ihr Kopf nach vorne fällt, streicht sie liebevoll über den Kopf des Kindes und sagt: »Aman Yavrum«, »mein Gott, liebes Kind.«

Irgendwann nimmt sie Ali wahr, sie begrüßen sich mit einem zaghaften »Merhaba.«

Das Kind wird wach und von der Frau aufrecht hingesetzt. Es

gähnt laut und schüttelt die hellbraunen Locken. Als es einen Finger in den Mund steckt, entschuldigt sich die Frau und ermahnt das Kind. Mit schelmischen Augen schaut es zu Ali und strampelt mit den Beinen gegen den unteren Sitz. Entschuldigend hält die Frau die Beine fest und wird nervös. Ali zuckt mit den Schultern und zeigt Verständnis für das Mädchen.

Erleichtert atmet die Frau auf und wird redselig. Sie betreut das Enkelkind in ihrem Dorf, die Eltern des Kindes leben und arbeiten in Istanbul.

Es sei nicht einfach und anstrengend für ihren schlimmen Rücken und die geschwollenen Beine, immer hinter der Kleinen herzulaufen, für das Essen zu sorgen, für die Kleidung und die Wohnung und all das, was eine Frau so leisten muss.

Zwischendurch seufzt sie tief, zieht das Kopftuch zurecht und hebt beide Hände zum Himmel, ergeben in den Willen Allahs.

Ali hört zu und nickt, seine Augen sind voller Anteilnahme.

Er kennt diese Gespräche und fühlt sich zurückversetzt in die Zeiten seiner Kindheit, als er als kleiner Junge auf dem Fußboden zwischen den bunten Pluderhosen der Tanten und Mutter gesessen und die gleichen Klagen gehört hatte. Geduldig blickt er zu der Frau und holt aus seinem Koffer das erste bunte Bonbon.

Das Kind strahlt und gibt sich erst mit zwei von den klebrigen Dingern zufrieden. Angekommen in Istanbul verabschieden sie sich herzlich, energisch nimmt die Großmutter das Enkelkind an die Hand und verschwindet in der Menschenmenge.

Ali hat Zeit genug, eine weitere Zugverbindung oder einen Bus zu suchen.

Er wird sich ein wenig umsehen in der Stadt, die Eindrücke sind jedes Mal so vielfältig, dass er wie in einem Rausch die Gerüche, den Lärm und die gesamte Schönheit der Architekturen in sich aufnimmt. Der Glanz unzähliger goldener Kuppeln der Moscheen und Paläste überwältigen ihn genauso, wie das intensive Blau des Himmels und der Meere.

Er bekommt Hunger und Appetit auf den frischen Fisch, der am Goldenen Horn unter einer Brücke angeboten wird. In ein warmes Brot gelegt schmeckt er fantastisch. Um ihn herum das eintönige Tuten der großen Schiffe und das Kreischen der Möwen.

Aus dem Inneren der Stadt rufen die Muezzin zum Gebet und die heiseren Stimmen der Straßenverkäufer bieten Tee, Simit, die runden Sesamkringel oder Gemüse an.

Den Geruch von Schweiß und Staub liebt er genauso, wie den des gegrillten Fleischs oder der leicht angebrannten Milchspeisen.

Über das ewige Verkehrschaos und unermüdliche Gehupe der Autofahrer lacht er nur und bewegt sich zu Fuß hin zur Anlegestelle der Fähre, die ihn auf die asiatische Seite nach Üsküdar bringt, wo die Züge in seine Stadt abfahren.

Ein Gewimmel von Menschen an der Anlegestelle. Weites, blau glänzendes Wasser und viel Rauch. Männer, die in die in die Hände hauchen und von einem Fuß auf den anderen treten. Ist es Nebel oder der Hauch dieser Menschen? Die Luft wirkt diesig und verschwommen. Es ist ein Gemisch von Stimmen, Gerüchen und Ungeduldigen.

Auf einer Bank sitzend betrachtet Ali entspannt das Meer, die Stadt und die Menschen. Als einer der Letzten betritt er die Fähre und erfreut sich an dem Bild der immer kleiner werdenden Stadt.

Die gleiche Lebendigkeit in Üsküdar wie in der großen Schwester Istanbul. Wann auch sollten sie zur Ruhe kommen?

Von dem herrlichen Bahnhofsgebäude beeindruckt hat Ali allmählich genug von all der Pracht und interessiert sich mehr dafür, rasch ein Ticket zur Weiterfahrt mit dem Zug zu bekommen. Dass es eine Dampflok ist, die eifrig Dampf spuckt und Mühe hat, schnell voran zu kommen, stört ihn nicht.

Entspannt lässt er sich auf die hölzerne Sitzbank fallen und genießt die Atmosphäre des Morgenlands mit der Weite, die nicht mehr aufhören will. Dörfer, an Hügel gelehnt, Lehm- und Backsteinhäuser. Hühner, Schafe und Ziegen, die frei herum laufen. Frauen mit bunten, weiten Hosen, Blusen und Kopftüchern und

Männer mit stoppelbärtigen Köpfen und Stöcken in der Hand. Viele Kinder, die mit Steinen spielen oder diese dem Zug hinterher werfen.

Das ist die Türkei, Ali lächelt und denkt an Köln.

Alles ist so weit weg.

Der Blick aus dem Fenster macht ihn stutzig. Hatte er dieses Dorf und was dazu gehört nicht gerade schon einmal gesehen?

Wahrscheinlich ist es die lange Zeit, die er unterwegs ist und ihn verwirrt. Er holt sich einen Tee und redet auf dem Gang mit einem jungen Mann. Der ist unterwegs nach Konya, der Heimat der tanzenden Derwische. Von den Bewegungen der Mönche fasziniert, hat er am Wochenende die Möglichkeit, alles aus nächster Nähe zu betrachten. Die Vorfreude ist ihm anzusehen. Dass der Zug so langsam fährt, macht ihm nichts aus, das Ankommen ist wichtig, erklärt er einem unruhigen Ali.

»Du hast gut reden, ich bin schon seit Tagen unterwegs und habe den Eindruck, dass der Zug sich im Kreise dreht.«

Sie lachen, öffnen das Fenster und lassen sich die warme Luft um die Nase wehen.

»Da, schon wieder die gleichen Häuser, die große Wiese mit dem kleinen Teich in der Mitte. Der dunkle Esel mit den weißen Kränzen um die Augen ist doch der Gleiche wie vorhin. Entweder habe ich Halluzinationen oder ich spinne.«

Ungläubig schüttelt er den Kopf, sucht einen Platz in einem anderen Abteil und schaut konzentriert aus dem Fenster.

Die langsame Fahrt geht ihm allmählich auf die Nerven, allerdings scheint dies nur bei ihm der Fall zu sein. Die Mitreisenden sind entspannt und lachen viel, die Männer diskutieren intensiv und scheinen nichts von dem mitzubekommen, was außerhalb des Zuges passiert.

In die Abteile, die nur mit Frauen besetzt sind, wagt er sich nicht hinein. Da, wo er einen Platz gefunden hat, scherzen die Leute und sind gut gelaunt. Sie haben reichlich Proviant dabei, preisen die unterschiedlichen Böreksorten an, verteilen sie großzügig und erwarten lobende Worte. Mittlerweile riecht es nach Knoblauch, die scharfen Würste muss jeder probieren, der kein Außenseiter sein will. Zwei Männer prosten sich unmerklich mit Rakı zu, den sie in einem Beutel versteckt halten.

Ali lacht zerstreut mit ihnen, lässt dabei die Landschaft nicht aus den Augen. Der Zug fährt so langsam, dass es fast möglich wäre, daneben herzulaufen. Wann wird er wohl in Adana ankommen?

Und wirklich, es kann nicht wahr sein, wieder die gleiche Landschaft, der gleiche Esel, die große Wiese.

Er schlägt sich auf das Knie und teilt den verwunderten Mitreisenden mit lauter Stimme dieses Phänomen mit.

Sie schauen ihn an und nehmen ihn natürlich nicht ernst.

»Wie viel von dem Rakı hast du getrunken, Bruder?«

Sie lachen und kümmern sich nicht weiter um ihn. Mit wem sollte er über seine Beobachtung sprechen, wer würde ihm glauben?

Er muss einen Schaffner finden und macht sich auf die Suche. Auf den Gängen sitzen die Menschen auf Koffern, sie spielen Karten, unterhalten sich laut, essen und trinken. Viele haben zusammengerollte Baumwollbetten dabei, die sie in ihre Sommerwohnungen in den Bergen mitnehmen. Hier im Zug haben sie sich gemütlich darauf niedergelassen. Das gesamte Bild hat etwas von einem Schulausflug an sich.

Ali versucht, von einem Waggon in den anderen zu kommen, ein Schaffner ist nirgendwo zu sehen und seine Wut wird immer größer. Als er zum dritten Mal durch den Gang läuft, nimmt ihn ein älterer Mann zur Seite.

»Was ist los, mein Sohn, vor wem läufst du davon?«

Er schaut ihn aufmunternd an.

Ali hält nichts mehr, er schimpft und fordert den Mann auf, einen Blick nach draußen zu werfen. Der schmunzelt und legt einen Arm um Alis Schulter.

»Du hast Recht mein Freund, kennst du nicht die Geschichte

von der Bahnstrecke Istanbul – Konya? Die Strecke ist ungefähr 450 km lang und der Zug braucht dafür länger als einen Tag. Ist doch merkwürdig, oder?

Sind dir beim Fahrkartenkauf nicht die Zeiten aufgefallen? Als die Strecke gebaut wurde, erhielten die Bauunternehmer für jeden gelegten Meter der Schienen den Lohn. Was machten die Schlauköpfe?

Sie legten das Schienennetz in Schleifen, sodass der Zug, möglichst unbemerkt, viele Kilometer fahren konnte. An der Bahnstrecke verdienten sie gutes Geld und was einmal vorhanden ist, veränderte niemand.

Wie du siehst, keiner beschwert sich. Entweder bemerken die Leute es nicht oder sie beschäftigen sich mit anderen Dingen, sie schwatzen, lachen und essen oder genießen den Ausflug in der dampfenden Lok durch die schöne anatolische Landschaft.«

Ali geht zurück in sein Abteil, was soll es schon; er beteiligt sich an der Unterhaltung, lacht mit, isst mit Genuss die angebotenen Weintrauben und weiß ganz genau, dass er in Konya den Zug verlassen wird. Noch einmal 300km »Ausflug« wird er sich nicht antun.

Er schafft es, noch einige Leute davon zu überzeugen, mit ihm umzusteigen. Am Abend endlich in Konya angekommen, sind es mehr als zwanzig, die dem Spaß auf die Schliche gekommen sind.

Mit viel Gepäck und Ali als ihrem Anführer und Sprecher haben sie sich entschieden, mit einem Bus weiterzufahren. Der Busbahnhof liegt am anderen Ende der Stadt.

Die einzige Möglichkeit, dahin zu kommen sind die Pferdekutschen, die in den Straßen unterwegs sind und Kunden aufnehmen. In drei Kutschen schaffen sie es, mit Sack und Pack ans andere Ende der zu Stadt kommen. Bis jetzt der lustigste Teil der Reise, lacht Ali.

Es ist zehn Uhr abends, sehr dunkel und morgen beginnt das Opferfest »Bayram«. Die Feiertage, an denen die Menschen von einer Stadt in die andere reisen, um ihre Verwandten und Freunde zu besuchen.

Ali selbst hat nicht viel mit dem Fest zu tun. Die Erinnerung an das Bild der geopferten Lämmer, deren Blut nach der Schlachtung durch die Gassen der Stadt fließt, hat ihm nie gefallen.

Am Busbahnhof kommt die Ernüchterung, weit und breit ist kein Bus zu sehen. Im Wartehäuschen brennt ein kleines Licht und mutterseelenallein sitzt ein Mann an einem Schreibtisch; ein Glas Tee in der Hand, schaut er auf ein kleines Fernsehgerät.

Ali bringt sein Anliegen vor. Der Mann bleibt sitzen, lässt den Blick nicht von dem Fernseher und schüttelt den Kopf.

Mit einer Hand zeigt er irgendwo aus dem Fenster und erklärt, dass der letzte Bus vor einer halben Stunde abgefahren ist. Der nächste würde erst morgen Nachmittag erwartet.

»Heute Nacht gibt es keinen Bus mehr«, er zeigt auf die leeren Parkplätze, wo jetzt, nur unter dem spärlichen Licht der Straßenlampe, nur kleine Spatzen die letzten Krümel vom Proviant der letzten Reisenden aufpicken.

Auf den Bänken hat sich die kleine Gruppe schon ausgebreitet. Scheinbar haben sie sich ihrem Schicksal ergeben, bis morgen auf den Bus warten zu müssen. Sie sind müde, haben keine Lust und Energie mehr.

Einzig ein junger Bursche, Militärkadett, rebelliert. Er will unbedingt die wenigen freien Tage bei seiner Familie verbringen und stellt sich unterstützend und bittend neben Ali.

»Ein Bus muss her! Wir wollen weiter, bitte.«

Der Mann jagt die Beiden aus dem Büro und Ali sieht, wie er das Telefon in die Hand nimmt.

Nach einer halben Stunde ist dann das knatternde Geräusch eines uralten Vehikels zu hören, was so etwas wie die kleinere Ausgabe eines normalen Linienbusses ist. Das Baujahr unbekannt, doch jedenfalls ein Fortbewegungsmittel in das die Gruppe so gerade hinein passt. Schnell sind alle Sitzplätze besetzt, im Mittelgang hocken die jüngeren Leute auf ihren Gepäckstücken, vorneweg Ali auf seinem Koffer. Die Fahrt kann losgehen, großes Aufatmen und dann friedliche Stille. Die Kinder schlafen auf dem Schoß der Mütter, die Mütter lehnen den Kopf an die Schultern der Väter.

Die Luft im Bus fast unerträglich! Die Oberlichter der Fenster schließen nicht und lassen eisige Kälte durch. Die Ritzen werden mit allen möglichen Kleidungsstücken zu gestopft.

Ali, auf seinem Koffer, schwitzt. Die Heizung im Bus funktioniert nur an den Fußleisten und das unermüdlich.

Die Tasche des jungen Kadetten, die er an die Seite der Heizung angelehnt hat, klebt mit der Rückseite dort fest.

Alles ist mit einem Mal unwichtig; froh, dass etwas in Bewegung geraten ist, fahren sie zuversichtlich in den Morgen. Bevor die Bonbons schmelzen, verteilt Ali sie noch schnell im gesamten Bus.

Ein Mann singt ein altes Kinderlied, das Schlaflied, mit dem alle Mütter in der Türkei ihre Kinder in den Schlaf wiegen. Die Mütter summen mit und dann erreicht das Hin- und Herschaukeln der alten Karre seine Wirkung.

Sie befinden sich im »Toroslar«-Taurus-Gebirge, wo die Straßen breite Schotterwege sind und das Fahren in den Kurven waghalsig. Zum Glück sind sie die Einzigen, die um diese Zeit unterwegs sind.

Ali ist hellwach, als er das schleifende Geräusch der Reifen hört. Er versucht Blickkontakt zu dem Busfahrer herzustellen. Ungern will er die Leute verunsichern oder wecken.

Der Fahrer scheint Bescheid zu wissen, er nickt ihm zu und hält auf gerader Strecke. Eine Reifenpanne, der hintere Reifen ist geplatzt, kaputt, muss repariert werden.

Verschlafene Gesichter bewegen sich sichtlich irritiert, sie wollen nicht glauben, dass schon wieder etwas nicht stimmt.

Der Busfahrer schafft es noch, bis in die Nähe eines kleinen Dorfes zu fahren. Die rote Fahne mit dem Halbmond, zu sehen am Eingang zu einem Teehaus, ist das schönste Geschenk. Es dauert nicht lange, bis ein freundliches Ehepaar, vom Busfahrer geweckt, die Türe zu dem kleinen Restaurant öffnet und frischen Tee an hellblauen Tischen serviert.

Die Frau ist bereit, auf dem Gaskocher Omelette zu bereiten und Brot zu wärmen. Es wird eine wunderbare Mahlzeit, die nicht nur die Kälte nimmt. Es ist schön, hier zu sitzen, die rosig werdenden Gesichter zu sehen und mit Andacht einen Blick auf die grandiose Schönheit der Heimat in dieser Morgenstunde zu werfen. Ali fühlt sich dem Vater sehr nah. In den Hängen des Taurus- Gebirges hatte der Vater ihn mit auf Wildschweinjagd genommen. In den reißenden, frischen Flüssen hatten sie gemeinsam Fische gefangen. Abenteuerlich, mit umwerfender Freude an dem Leben in der Natur, im Freien übernachtet und gemeinsam den Sternenhimmel betrachtet. Er war stolz auf seinen Familiennamen: «Toroslu«, den seine Familie in großer Liebe zu dem Taurus-Gebirge angenommen hatte.

Ali empfindet es als großes Glück, den Vater so unbeschwert jung und frei erlebt zu haben. Er lächelt und wird von dem jungen Kadetten in die Seite geschubst »Denkst wohl an dein Mädchen oder wieso hast du so gute Laune?«

»Marianne« denkt er und es wird ihm schwer ums Herz. Gerne hätte er sie auf dieser Reise neben sich gehabt, warum hatte er nicht gefragt? Hoffentlich hat sie ihn nicht vergessen, alles ist so weit weg.

Er läuft ein Stück in den Wald und schüttelt den Kopf, als er den Jungen neben sich sieht.

Sie fahren weiter und die karge Landschaft hat sich verändert. Jetzt geht es durch saftig grüne Gegenden. Kiefernwälder rechts und links. In den Tälern quirlig fließende Bäche, große Weiden und reichlich Obstbäume.

Fast ist es geschafft, während der drei Tage hat Ali einen kräftigen Bart bekommen und sehnt sich nach einer Dusche; es dauert ja nicht mehr lange.

Lebhaft reden sie im Bus miteinander: »Schau mal da, die jungen Fohlen auf der Weide. Der Bakkal sitzt vor seinem Kiosk, das frische Brot kann man schon riechen.«

Manche singen oder klatschen in die Hände. Sie schauen in glückliche Gesichter, wohl wissend, wie gut es ist, nach den letzten Strapazen unversehrt zu Hause anzukommen.

Zum Abschied winken sie lange und Ali wartet geduldig, bis niemand mehr zu sehen ist.

Jetzt ist er an der Reihe, er mag sich die Ankunft bei der Familie nicht vorstellen und spricht einige imaginäre Worte zu Marianne. Für die letzten Kilometer springt er in ein Taxi, lässt sich in den Sitz fallen und wie ein König zum Ziel seiner Reise bringen.

In der Nähe des Flughafens, eine kleine Nebenstraße, das gelbe Haus mit einem Tor vor der Einfahrt. Im Vorgarten Feigen- und Apfelsinenbäume. Mit Herzklopfen steigt er aus, es ist ungewöhnlich ruhig.

Er steigt die Treppenstufen zur Eingangstür hinauf, versucht, sie zu öffnen. Merkwürdig, eigentlich ist sie nie verschlossen. Er klingelt und klopft. Nichts ist zu hören, er rüttelt an dem Gitter des kleinen Fensters neben der Tür. Niemand öffnet.

Die Nachbarin ist aufmerksam geworden und schaut über die Mauer. Natürlich kennt sie Ali und freut sich, ihn zu sehen.

Schnell holt sie einen Hocker, steigt hinauf, legt bequem die Arme auf die Mauer und holt zu den üblichen Begrüßungsworten aus: »Herzlich willkommen Ali, mein Junge. Wie geht es dir? Müde siehst du aus. Ist niemand bei euch zu Hause?

Ah, es kann sein, dass sie zum Friedhof gegangen sind, heute am Feiertag.«

»Guten Tag Tante, wie geht es dir? Schöne Feiertage wünsche ich. Nein, es scheint niemand da zu sein. Die Tür ist verschlossen. Mutter und die Geschwister wissen auch nicht, dass ich heute komme, sonst wäre bestimmt einer zu Hause. Ich mache mich dann mal auf den Weg zum Friedhof.«

»Du kannst aber gerne herein kommen und einen Tee trinken, wir können miteinander reden.«

»Vielen Dank Tante, aber es zieht mich jetzt zum Friedhof, du weißt ja.«

»Allah soll dich schützen, armer Junge, ich verstehe.«

Ali hat keine Lust auf nachbarschaftliches Geschwätz. Er trennt einen Zettel aus seinem Notizbuch, schreibt eine Nachricht, die er unter die Haustüre schiebt.

»Ich war hier, leider war niemand zu Hause. Mesut und ich haben extra nichts von meiner Reise gesagt, weil ihr euch sonst Sorgen gemacht hättet. Es ist alles gut gegangen, jetzt gehe ich zum Friedhof und nehme Abschied von meinem Vater. Selamlar, Ali.«

Mit einem letzten Blick auf das Haus macht er sich auf den Weg zur Hauptstraße und wartet auf eine Kutsche. Der Friedhof liegt etwas außerhalb der Stadt und der langsame Weg in einer Pferdekutsche wird ihm die Zeit geben, die er braucht, seine Stadt wieder zu entdecken. Feiertagsstimmung liegt wie ein breiter schimmernder Überwurf über den Menschen, die sich gerne in schönen Kleidern zeigen und mit einem Lächeln im Gesicht spazieren gehen.

Der Fluss, der wie ein silbrig glitzerndes Band durch die Stadt fließt, begrüßt ihn als erstes und begleitet ihn eine lange Zeit.

Die Sonne brennt schon auf der Haut. Das ungewohnte Klima hat ihn müde gemacht, er atmet die staubig stickige Stadtluft. Am Straßenrand sieht er wie eh und je halbfertige Häuser, nicht verputzte Steine, wo der Mörtel noch sichtbar ist.

Der untere Teil ist fertig, Moniereisen ragen dort in die Höhe, wo irgendwann einmal weitere Etagen entstehen sollen.

Kinder spielen im Staub. Träge versuchen sie, einen Ball hin und her zu bewegen.

Hunde liegen schwer atmend unter Sträuchern. Schafe und Kühe suchen ein bisschen Grün.

Die Autos hupen laut, Lastwagen transportieren, obwohl Feiertag, viele Baumwollpflücker, auf der Ladefläche stehend.

Straßenverkäufer sortieren Früchte auf den Karren. Schuhputzer polieren eifrig die Festtagsschuhe der Spaziergänger und von den Sesamkringeln, die der kleine Junge auf dem Tablett auf seinem Kopf trägt, geht ein verführerischer Duft aus.

Knallrote und giftgrüne Getränke, die in goldfarbenen Gefäßen um den Leib der folkloristisch bekleideten Verkäufer baumeln, haben etwas Attraktives und über all diesen Bewegungen hört er den frommen Ruf des Muezzin.

Er schaut an sich herunter; mit seinen staubbedeckten Schuhen, der verschwitzten Jacke über einem schmuddeligen Hemd, die schwarzen Fingernägeln und Haare, die am Kopf kleben, kann er unmöglich an das Grab seines Vaters gehen kann.

Am Eingang des Friedhofs befinden sich Wasserbecken zum Füße waschen vor dem Gebet, dahin muss er zuerst.

Vor einem Bakkal, lässt er die Kutsche anhalten und kauft ein Stück Seife und einen Schwamm.

Sich vor dem Friedhof zu waschen, ist aber nicht möglich. Zu viele Menschen haben die Becken besetzt.

Am Feiertag scheinen sie ein großes Bedürfnis zu haben ihre Toten zu besuchen.

Der Kutscher versteht, bringt ihn in eine Seitenstraße zu einem Brunnen.

Mit einer großzügigen Münze bedankt sich Ali und wäscht sich mit großer Lust und Schwamm und Seife das Gesicht, die Haare und die Hände. Er fühlt sich wie neugeboren.

Über einen Trampelpfad umgeht er die vielen Menschen am Eingang und die lästigen, aufdringlichen Burschen, die für wenig Geld aus dem Koran lesen wollen.

Die Sonne scheint kräftig, es ist heiß und unglaublich hell. Auf dem Friedhof gibt es kaum Bäume und die Sonne spiegelt sich in den großen Marmorblöcken mit den goldenen oder schwarzen Gravuren.

Dann findet er den Namen seines Vaters, akkurat in schwarzen Druckbuchstaben, klar und glatt, ohne jede Verschnörkelung, so wie er es wahrscheinlich gewünscht hatte.

Zwischen Geburts- und Sterbejahr liegen gerade mal 54 Jahre.

Ali nimmt die kleinen Kieselsteine, die zwischen den Umrandungen liegen und lässt sie auf die Marmorplatte springen. Er findet eine Gießkanne und gießt die restlichen Tropfen Wasser darüber.

Auf dem kleinen Koffer sitzt er solange, bis er merkt, dass ihm Tränen kommen. Er putzt sich die Nase. Mit einem Lächeln verabschiedet er sich. Mit dem Lächeln, dass ihn zum Weiterleben auffordert, dass ihm ein neues Ziel weist und ihm klar wird wohin er gehen muss.

Mit schnellen Schritten läuft er vorbei an den langsamen Schritten der Spaziergänger. Er läuft bis hin in das alte Viertel der Stadt, wo es nach Kohle und Feuer riecht. Unter einem Maulbeerbaum findet er einen freien Platz in dem Lokal, wo es das beste Kebap gibt.

Den Geruch und Geschmack des scharf gewürzten Fleischs auf dem Holzkohlengrill, Tomaten und Paprika, deren Haut zur Hälfte schwarz gefärbt sind, zusammen mit der süßen Schärfe des Zwiebelsalates, genießt er an dieser Stelle, die er oft mit dem Vater besucht hatte.

Nach einem Glas Ayran, dem salzigen Joghurtgetränk mit Eiswürfeln, fühlt er sich gestärkt und lässt sich gemütlich mit dem Taxi zum Bahnhof bringen.

Genau eine Stunde bleibt ihm, bis ein Zug direkt nach Istanbul fährt. Auf einer freien Bank sitzt er solange bis der Bahnhofsvorsteher ihn ruft.

Entspannt fährt er durch die grüne Landschaft und lässt sich von den Mitreisenden, die ihm Süßigkeiten anbieten und frohe Feiertage wünschen, verwöhnen.

Am späten Abend in Istanbul sucht er sich den schönsten Platz auf der Fähre, von wo aus er in den mit Sternen bedeckten Himmel schaut.

Um ihn herum die 1000 Lichter der Stadt, die das Dunkel lebendig machen. Seine gute Laune, seine innere Freude und sein Lächeln begleiten ihn durch das Märchen von tausend und einer Nacht.

Vielleicht liegt es daran, dass die Menschen ihre Feiertagslaune verbreiten oder dass er genau weiß, wie sein Weg verlaufen wird.

Noch sitzt er im Zug und nähert sich der bulgarischen Grenze.

In Kapıkule, dem Grenzort, laufen Beamte durch den Zug und auf dem Bahnsteig. Trillerpfeifen zeigen, was sie können, von allen Seiten ist es zu hören: »Ali Toroslu – Ali Toroslu« bitte melden.

Was sollte das? Wer sucht nach ihm, er schaut auf seine Fahrkarte, alles in Ordnung. »Ali Toroslu – Ali Toroslu.«

So gelassen wie möglich, die neugierigen Blicke der Mitreisenden ignorierend, meldet er sich bei einem Beamten.

»Ich bin Ali Toroslu, was wollen Sie von mir?«

»Zeig deinen Ausweis und dein Ticket!«

Mit der Taschenlampe leuchtet er in sein Gesicht.

»Mitkommen«, wie ein Übeltäter muss er mit in das Büro.

Weitere Beamte schauen mit ernster Miene und vergleichen Papiere und Dokumente; sie bitten Ali, vor der Türe zu warten.

Was soll dieses ganze Theater, wer sucht nach ihm? Seine Mutter wird doch nicht etwa …?

Oder Mesut, nein, nichts davon kann er sich vorstellen. Er wird nervös und schießt mit dem Fuß kleine Steine über den Bahnsteig.

Nach einer ganzen Weile ist es soweit, ein Beamter kommt, legt die Hand an die Mütze und gibt ihm die Papiere zurück.

»Alles in Ordnung, du bist nicht der Gesuchte, gute Weiterfahrt.«

Dass die Fahrt durch Bulgarien gut ist liegt an dem freien Abteil, in dem er sich hinlegt und nur hin und wieder mit der kalten Zugluft zu kämpfen hat. »Sofia«, die Ankündigung der Hauptstadt lässt er eben so vergnüglich an sich vorbeiziehen wie die kurze Passkontrolle von übermüdeten Beamten in Dimitrovgrad, der Grenze zu Jugoslawien.

An der ersten Station in Jugoslawien wird es ungemütlich. Die Waggons füllen sich mit Reisenden, die nur ein Ziel vor Augen haben: »Belgrad«. Ali hat das Gefühl, dass die gesamte Landbevölkerung samt Haus und Hof in die Hauptstadt Belgrad auswandern will.

Hühner und Kleintiere in Käfigen, Körbe, gefüllt mit Obst und Eiern, Decken und Kissen, Koffer und Taschen, Frauen, Männer, Kinder und Mütterchen, alle sollen mit.

Er geht auf den Gang und schaut nach, ob es in den anderen Waggons genauso zugeht und klettert dabei über Hausrat und kleine Kinder.

Der Schreck ist groß, als er zurück in sein Abteil kommt. Sein Sitzplatz ist besetzt. Ein runzeliges Mütterchen sitzt dort, warm eingepackt in eine bunte Wolldecke, beschützt von einer jungen Frau, die ihr liebevoll die Hand hält. Ali versucht mit Händen und Füßen zu erklären, dass es sein Platz ist, er zeigt auf den Koffer im Gepäcknetz und auf die Jacke am Haken. Er erklärt, dass er noch eine lange Reise vor sich hat und erntet wütende Blicke nicht nur von den Männern.

Kein Respekt vor der alten Frau? Wie kann er nur so grausam sein. Die Frau bleibt da sitzen! Ali versteht, er gibt nach und sucht sich einen halbwegs guten Platz am Fenster im Gang.

Der Zug rollt und rollt, Ali bekommt Hunger und wird ungemütlich. Plötzlich wird der Zug langsamer, bremst ab. Was hat das nun schon wieder zu bedeuten? Umgeben von Feldern und Wiesen bleibt der Zug stehen. Kein Bahnhof in der Nähe, keine Häuser und kein Kirchturm zu sehen.

Die Menschen schauen sich fragend an, recken die Hälse und tuscheln miteinander.

Ali öffnet das Fenster, legt seinen Arm auf die Brüstung und ruft aus tiefster Überzeugung in den Stoff seiner Jacke »Belgrad« und noch einmal »Belgrad.«

Als er die Aufmerksamkeit im Zug wahrnimmt, noch einmal und lauter »Belgrad.«

Jetzt gibt es kein Halten mehr, alle Fenster werden geöffnet, das Hab und Gut hinausgeworfen, die Kinder werden hinausgereicht, die Männer haben alle Hände voll zu tun und die Frauen räumen in den Abteilen auf.

Draußen sind wieder Trillerpfeifen, Hundegebell und die lauten Stimmen der Schaffner zu hören.

Ali wartet nur darauf, dass sein Sitzplatz frei wird. Schnell lehnt er sich darin zurück und erwartet nichts Gutes. Mittlerweile hat sich der Irrtum geklärt und alle landen wieder im Zug .

Wütend schauen sie zu Ali, die Männer mit Drohgebärden.

Er hängt die Jacke über sein Gesicht und nimmt sie erst in Belgrad wieder ab.

Noch einmal böse Worte zum Abschied und als alle ausgestiegen sind begrüßt Ali freundlich die »Neuen« und ist dankbar für das Brot und die Wurst, die sie ihm anbieten.

Miteinander ins Gespräch zu kommen ist auf Dauer schwierig und wird erst in Österreich möglich.

In Graz muss Ali umsteigen und hat einige Stunden Aufenthalt. Wenn auch das Bahnhofsgebäude gerade renoviert wird und es wie auf einer Baustelle aussieht, fühlt er sich wohl. Die Österreicher sind ihm sympathisch, er lässt sich zu einer Melange überreden und genießt es, in dem gemütlichen Sessel des Cafés dieses milchschäumende Getränk in langsamen Zügen zu trinken und eine Zeitung zu lesen.

Während der Morgenstunden geht es weiter durch die Bergwelt Österreichs mit ihren grünen Almen, auf denen gefleckte Kühe grasen. Vorbei an malerischen Seen und gepflegten Dörfern mit schmucken Häusern.

Gerne betrachtet er das liebliche Land und der Gedanke, bald das Ziel erreicht zu haben, ist aufregend.

Die Betriebsamkeit einer Großstadt erreicht ihn in München. Hier ist großer Bahnhof, ein Knotenpunkt, ein Fadengewirr. Personen auf der Suche nach dem Zug in die richtige Richtung. Durchsagen in unterschiedlichen Sprachen. Die Gedanken gelten der Fortbewegung.

Nach fünf Stunden wird er in Köln sein, im Schnellzug sitzt er in einem eleganten Sessel, der den Nachbarn nicht stört und den Kopf und die Ohren schützt. Zwei vornehm gekleidete Geschäftsleute sind damit beschäftigt, die passende Lektüre zu verstehen. Hoffentlich reicht ihr »Aftershave« aus, den unangenehmen Geruch von ihm zu ignorieren. Die Toiletten im Zug sind ziemlich klein, reichen jedoch, dass Ali sich wieder einmal mit dem kleinen runden Stückchen Seife Gesicht, Haare und Hände waschen kann.

Mit einem herrlichen Gefühl, immer heftiger werdendem Herzklopfen und großer Sehnsucht nähert er sich endlich dem Ende der Reise.

Es ist Abend, der Blick nach draußen zeigt die Spitzen des Doms, ein silbrig, blauer Streifen ist der Rhein. Leuchtreklamen auf den Häuserwänden bei der Einfahrt in den Bahnhof und die grünen und roten Augen, aufgesetzt auf die dunklen Gesichter der Lokomotiven, begrüßen ihn.

Ali rennt auf den Bahnhofsvorplatz, das erste Taxi ist seins.

Die Fahrt bis in die Straße des Vorortes dauert fast zu lange, doch vor dem Haus mit der Nummer elf muss er sein unruhiges Herz beruhigen. Es ist geschafft, das Ziel erreicht, er atmet tief durch, bevor er klingelt. Marianne steht vor ihm, genauso wie er es sich erträumt hatte.

Episoden

Führerschein

Vor einigen Jahren kamen sie nach Deutschland, Alfred Siniatowicz, seine Frau Rosa und die beiden Kinder. Eine Amputation des rechten Beines von Alfred war der Grund dafür, dass sie ihr schönes Dorf Ruja verließen und als Siebenbürgen deutsche die Chance bekamen, diese Operation in Deutschland ausführen zu lassen.

Das Leben in der ersten Etage eines Mehrfamilienhauses, im Gegensatz zu dem Leben auf dem Bauernhof in der Heimat, mitten in einem großen Garten, voll mit Obstbäumen, Aprikosen und Birnen, war eine große Umstellung, aber was war wichtiger?

In der Stadt besuchen die Kinder eine Schule, vom Staat erhalten sie Unterstützung und die Operation war erfolgreich; Alfred muss nun lernen, mit einem Bein zu gehen und zu leben.

Rosa ist zufrieden und kommt Tag für Tag ihrem Ziel näher, den Führerschein zu machen, um dann mit der Familie im eigenen Auto nach Ruja fahren zu können.

Für Alfred sollte es eine bequeme Reise werden und es wäre möglich, ihren Lieben viele Geschenke und all die hübschen praktischen Dinge, die es in Ruja nicht zu kaufen gibt, zu bringen.

Dafür lohnte es sich, an verschiedenen Stellen zu arbeiten und Geld zu verdienen.

Rosa hilft Familien in der Nachbarschaft bei der Hausarbeit, sie näht und bügelt und putzt fremde Wohnungen. Elisabeth trägt

Zeitungen aus die Josef in einem kleinen Leiterwagen durch die Straßen zieht.

Jeder übriggebliebene Pfennig wird gespart und Alfreds Aufgabe ist es, jeden Freitag den Lottoschein auszufüllen.

Fest davon überzeugt, mit dem Gewinn, das sehnsüchtig erwartete Auto kaufen zu können.

Sitzen sie am Abend zusammen, haben sie alle das gleiche Leuchten in den Augen, sie träumen den gleichen Traum und erinnern sich an die vergangenen schönen Tage in Ruja.

Alfred vermisst die Freunde, mit denen er Schach spielen und fachsimpeln konnte; vielleicht wäre es eines Tages sogar möglich, mit ihnen zusammen noch einmal auf die Jagd zu gehen.

Elisabeth möchte zu gerne endlich wieder unten am Fluss sitzen und mit den Freundinnen in der Muttersprache drauf los plappern.

Josef denkt an Oma und Opa, hoffentlich halten sie ihr Versprechen, sein Kaninchen zu versorgen und vor dem Fuchs zu schützen.

Und Rosa? Sie hat einfach Heimweh nach Allem.

Sie schafft es nicht, ihre Träume in nur wenige Worte zu fassen, das Heimweh spürt sie tief in ihrem Herzen. Es lässt sie nicht schlafen und lässt sie weinen, wäre da nicht der unerschütterliche Wille, den Führerschein zu machen und im Sommer nach Ruja zu fahren.

Bis tief in die Nacht hinein ist sie mit Verkehrsregeln, Straßenschildern, Halteverboten und Überholmanövern beschäftigt.

Der Fahrlehrer ist ein geduldiger Mann, der sie auch nach fünfzig Fahrstunden ermutigt, weiterzumachen.

»Nur nicht aufgeben, Frau Siniatowicz, Sie schaffen das«, wie ernst diese Aussage ist oder ob sie in der Hauptsache seinem Portemonnaie gilt, ist Rosa egal.

Die Theorie wird das kleinste Übel sein. Alfred und Elisabeth unterstützen sie so gut es geht.

Endlich nach der achtzigsten Stunde, es ist Mai und der Urlaub wirft seine Schatten voraus, kommt der erlösende Satz : »In dieser Woche finden die Prüfungen statt.«

Am Dienstag erst die Theorie.

Rosa bleibt ruhig; bevor es losgeht, nimmt sie einen großen Schluck des beruhigenden Kräuterschnaps aus Ruja und kreuzt auf den Fragebögen die richtigen Antworten an.

Den nächsten Schnaps trinken sie an dem Abend, als sie wissen, dass die erste Hürde geschafft ist.

Am Freitag ist es dann soweit, die praktische Prüfung. Um die Mittagszeit darf Rosa zeigen was sie gelernt hat. So aufgeregt war sie noch nie, selbst die eigene Hochzeit verblasst dagegen.

Die Zeit bis zum Mittag wird lang, sie muss sich beschäftigen, soll sie noch zum Friseur? Nein, die Haare dreht sie selber auf, einkaufen und das Mittagessen kochen wird sie vorher schaffen. Der Lottoschein muss auf jeden Fall noch zur Annahmestelle. Alfred winkt schon damit, bevor sie eilig das Haus verlässt.

Nachdem alles erledigt ist, steht sie kurz vor zwölf, in Erwartung des weiß-roten Fahrschul-Wagens, am Fenster. Mit kurzen Gebeten erhofft sie sich noch himmlischen Beistand, um dann, so gelassen wie möglich, das Lenkrad in die Hand zu nehmen.

Aufmunternd lächelt der Fahrlehrer und streng der Herr mit dem Zettel und dem Bleistift in der Hand.

»Fahren Sie los und wenden Sie …«

Rosa wächst über sich hinaus, gelernt ist gelernt. Achtzig Fahrstunden zeigen ihr Ergebnis und nach einer halben Stunde ist sie Besitzerin eines Führerscheins.

Händeschütteln, Gratulationen und Tränen machen das fast Unglaubliche möglich. Zu Hause warten Alfred und die Kinder, man liegt sich in den Armen, bevor der Sektkorken knallt.

Der Erfüllung des Traums ein weiteres Stück näher werden die Urlaubspläne konkret.

Am Samstagabend steht noch die Ziehung der Lottozahlen aus, noch ein Quäntchen Glück und auf nach Ruja.

Die Spannung wächst, Hand in Hand, je ein Daumen hoch, ein Gebet auf den Lippen. Das Sitzen fällt schwer. Laut wiederholen sie die Zahlen, die von der Lottofee vorgelesen, auf blauen Bällen erscheinen.

Wie in Trance sprechen sie die Zahlen aus, die sie genau kennen. Es sind die, die Alfred immer wieder, Woche für Woche, tippt.

Ihre Geburtstage: 8 – 11- 16 –23 –24 –27.

Wo ist der Schein? In der Einkaufstasche! Rosa läuft, holt ihn aus der kleinen Seitentasche und tatsächlich, sie vergleichen:

8 – 11- 16 –23 –24 –27.

Der Atem stockt, der Jubel bleibt noch aus, so unglaublich ist das alles.

Was bedeuten die Tränen in Rosa's Augen?

»Die Zahlen stimmen genau überein, oh Madonna, ich habe vergessen, den Schein abzugeben!«

Starr vor Schreck schauen die Kinder, Rosa schlägt die Hände vor das Gesicht, kleine Schreie kommen aus ihrem Mund. Alfred rückt so nah es geht, an sie heran, nimmt ihre Hände, küsst ihre Tränen und lächelt.

Herr Koch

Ist es wieder soweit?

Vorsichtig öffnen sich die Türen der Etagenwohnungen im Wohnblock.

Frau W., die direkte Nachbarin der Kochs, winkt die Mitbewohnerinnen ins Treppenhaus. Der Lärm auf ihrer Etage ist unerträglich geworden, die Geräusche aus der Wohnung der Kochs lassen Schlimmes befürchten.

»Hoffentlich hat das Kind nichts abbekommen«,

Frau M. vom Parterre schüttelt den Kopf, sie hat noch die Schürze umgebunden und riecht nach Zwiebeln.

»Die Kinder sind immer die Leidtragenden«, so die Bestätigung ihres Gegenübers, Frau S.

Das Geschrei und Gepolter wird immer heftiger, so als würden Möbel durch die Räume geschleudert.

Frau S. schaut zurück in ihre Wohnung, sie hat Angst um ihre Lampe im Wohnzimmer, die schon bedenklich wackelt.

»Lange Zeit war Ruhe, wahrscheinlich hat er wieder zu viel getrunken«, vermutet Frau E. von oben.

Frau B. rümpft die Nase, »schrecklich, so ein asoziales Volk in unserem Haus.« Noch im Morgenmantel schaut sie durch die Gitterstäbe des Handlaufs nach unten und wippt mit den roten Samtpantöffelchen, so dass die weißen Ponpons, wie kleine Federn flattern.

Die Stimme von Herrn Koch wird lauter und schärfer, er beschimpft seine Frau mit den übelsten Worten.

Frau W. schickt ihre kleinen, neugierig gewordenen Kinder schnell zurück in die Wohnung.

Dann wird die Stimme von Frau Koch leiser und schwächer, mit weinerlicher Stimme versucht sie, ihren Mann zu beruhigen.

Herr Koch poltert weiter, beschimpft seine Frau, dumpfe Schläge sind zu hören.

Die Frauen im Treppenhaus schämen sich, schauen verlegen und lassen kein gutes Wort an dem brutalen Mann. Von Herzen bedauern sie die arme Frau. Letztendlich gehen sie seufzend zurück in ihre Wohnungen, die sie mit einem unguten Gefühl fest verschließen.

Erst spät in der Nacht wird es ruhig im Haus.

Wie verabredet öffnen sich die Türen am nächsten Morgen und die Frauen finden schnell den Anschluss an das Geschehen von gestern Abend.

Man bedauert die arme Frau Koch, vielleicht sollte sie sich von diesem Rohling von Mann trennen. Vielleicht hätte man die Polizei holen sollen und vielleicht hätten ihre eigenen Männer sich einmal einmischen können, so fachsimpeln sie mit genügend Ratschlägen und Vermutungen.

Bis sich die Tür auf der ersten Etage öffnet und Frau Koch das Treppenhaus betritt. Den Mantel hat sie hoch zugeknöpft, hält ihn am Hals zusammen. Schrecklich zugerichtet sieht sie aus. Blutunterlaufen ist ein Auge, Kratzspuren und violette Flecken sind über das Gesicht verteilt. »Guten Morgen«, ein schwaches Lächeln und eine unsichere Stimme zeigen, wie peinlich es ihr ist, von den Mitbewohnern in diesem Zustand gesehen zu werden.

Frau B. aus dem Parterre sieht genau die Tränen in ihren Augen.

Mit großem Mitgefühl unterhalten sich die Frauen weiter, reden sich in Rage und vergessen fast ihre häuslichen Pflichten.

Als es an der Haupteingangstüre klingelt, vermuten sie schon, dass es ihre Kinder sind, die aus der Schule kommen.

Die Wohnungstür auf der ersten Etage öffnet sich, Jürgen, der kleine Sohn der Kochs drückt still und leise den Türöffner.

Herr Koch kommt ins Haus, zur ersten Etage nimmt er zwei Stufen auf einmal, tippt kurz mit dem Finger an die Stirn.

»Guten Tag die Damen, viel zu reden gehabt heute, was?«

Er lächelt wie der Teufel persönlich!

Batterie

Jung verliebt und glücklich unternehmen sie die erste weite Reise, allein im eigenen Auto. Ein herrlicher Urlaub liegt hinter ihnen und mit den Erinnerungen an die letzten Tage sitzen sie sonnengebräunt im Wagen, lassen den warmen Wind hinein und summen die Melodien, die noch im Kopf geblieben sind.

Es wird Abend, gegen Morgen wollen sie zu Hause sein.

Das plötzliche Stottern des Autos beunruhigt sie ein wenig, ahnungslos zucken sie mit den Schultern und erschrecken dann doch, als sämtliche elektrischen Anlagen nicht mehr funktionieren.

Sie befinden sich auf einer Schnellstraße in Kroatien, wo sie auf dem Randstreifen anhalten.

Mit einer Taschenlampe versuchen sie sich einen Überblick zu verschaffen, es gibt weit und breit nichts zu sehen und sie entschließen sich, vorsichtig weiterzufahren.

Er sitzt am Steuer und sie schwenkt die Taschenlampe wie ein Warnlicht aus dem Fenster.

Bis zu einer Tankstelle müssen sie kommen.

Es dauert eine Ewigkeit bis sie eine erreichen und der Mann dort schlägt die Hände über dem Kopf zusammen.

Schnell weiß er, dass die Batterie leer ist. Sie muss aufgeladen oder erneuert werden. Beides scheint bei ihm nicht möglich zu sein.

In einem Kauderwelsch versuchen sie sich zu verständigen und kommen erst weiter, als ein junger Mann sich einmischt und zu verstehen gibt, dass sich wohl in etwa 2 Kilometern, irgendwo an der Straßenseite hinter Bäumen und Büschen versteckt, eine Autowerkstatt befindet.

Mittlerweile ist es dunkel geworden, stockdunkel; sie fahren weiter auf dem Randstreifen mit der Taschenlampe winkend.

Schweigend, konzentriert und die Angst unterdrückend finden sie die Abzweigung in ein Waldgrundstück.

Hundegebell ist zu hören, es ist unheimlich. Sollten sie nicht lieber umkehren und irgendwo am Straßenrand warten? Zu spät, zwei Männer in grauer Arbeitskleidung und hohen Stiefeln leuchten mit Taschenlampen ins Auto. Sie beugen sich über den Wagen und sagen etwas. Im Hintergrund ist so etwas wie eine Garage zu erkennen. Er will raus aus dem Auto, sie hat Angst.

»Bleib ruhig sitzen, ich mache das allein.« Bevor er aussteigt, nimmt er den langen Schraubenzieher, der unter dem Sitz liegt und hält ihn versteckt in seiner Hosentasche.

Die Hunde knurren den Fremden an. Einer der Männer geht zur Garage, der zweite stellt sich neben das Auto. Sie zittert und lässt ihn nicht aus den Augen.

Erst das quietschende Geräusch einer Rolltüre öffnet den Blick in eine Garage. Stück für Stück zeigt sich das typische Zubehör einer Autowerkstatt. Sie sieht ihren Freund mit dem Mann verhandeln, der nickt und scheint zu verstehen. Das Licht in der Garage ist so hell, dass es auch das Grundstück und die erleichterten Gesichter strahlen lässt. Im Auto hört sie das Wort »Batterie« und das herzhafte Lachen von drei jungen Männern.

MAN(N) lächelt

Wenn er im Sommer sein Haus in den Bergen betrachtet, das umgeben ist von den Farben der frischen grünen Gräser, der gelben und rosaroten Blumen und Blüten. Er lächelt, wenn er das Summen der Hummeln, Bienen und anderer Insekten hört.

Hier in dem Haus, gebaut und gezimmert mit Balken im Fachwerk, mit der Bank vor der Tür und dem Mühlrad, das sich, vom Wasser angetrieben, dreht, lebt er so, wie schon seine Eltern und Großeltern.

Der Maskenschnitzer in den Südtiroler Bergen, der mit seinen Händen

Gesichter aus Holzstücken schnitzt, die, je nach Wunsch der Käufer, lustig oder traurig, böse oder lieblich, frech oder bedrohlich ausschauen.

Mit diesem Einkommen und ein wenig Landwirtschaft, einer Kuh und einigen Hühnern hat er alles, was zur Versorgung seiner Familie nötig ist.

Seine Frau und die zwölf Kinder. Mädchen und Buben, die jetzt nebeneinander, der Größe nach, auf der langen Bank vor dem Haus sitzen.

Blondschöpfe mit blauen Augen wie Sterne.

Vierzehn Jahre, Marie Theres, die Älteste und Toni, der Jüngste, noch in den Windeln, auf den Armen von Veronika.

Ein Wanderer möchte sie fotografieren. Er war es, der die Kinder so in die Reihe gesetzt hat und nun die Kamera zückt.

»Bittschön der Herr, tun's die Kamera weg. Das sind meine Kinder und ihr Lächeln gehört hierher.«

Dem Blick aus stechend blauen Augen in einem sonnengebräunten, mit herrlich vielen Falten gesegnetem Gesicht und einer Stimme, die fest und warm aus dem Mund des Mannes kommt, ist es unmöglich, zu widersprechen.

»Behalten Sie das Bild an die schöne Zeit und das Lächeln meiner Kinder in Erinnerung. Ein Bild davon in den Händen von Fremden, das geht nicht ...«

Der Wanderer zuckt verschämt mit den Schultern, stottert, sucht verlegen nach Worten:

»Ich wollte nicht ... ist schon gut, ich verstehe, aber sie sehen alle so schön aus.«

Mit seinem Wanderstab geht er weiter und dreht sich noch ein paarmal zu ihnen.

»Ja, sie sehen so schön aus«, der Vater schaut seine Kinder an. Er lächelt; mit einem tiefen Gefühl der Liebe und Dankbarkeit und dem Bewusstsein, dass nur dieser Augenblick wichtig ist, ohne daran zu denken, was gestern war oder morgen sein wird.

Die Autorin

Monika Seyhan lebt seit ihrer Geburt 1948 in Köln.

Sie ist mit einem türkischen Naturwissenschaftler und Musiker verheiratet und hat drei Kinder.

Als Sozialpädagogin leitete sie eine Kindertagesstätte, war im Bereich der Heim-und Jugenderziehung tätig und arbeitete mit jungen Spätaussiedlern am Gymnasium.

Bisher erschienen sind neun unterschiedliche Bücher, Romane und Erzählungen, die u.a. von Erfahrungen im christlichen Rheinland als auch vom muslimisch -orientalisch geprägten Umfeld ihres aus Anatolien stammenden Mannes berichten.

Familienkonflikte durch westliche und orientalische Sozialisation, andere Kulturen und Moralvorstellungen, Tabubrüche durch starke Frauen als auch Erinnerungen an eine Kindheit in der Nachkriegszeit in Köln bereichern und vertiefen die Basis ihres Schreibens.

»Mich berühren zutiefst gescheiterte Existenzen, moralische Verwerfungen, hoffnungsvolle Lebensentwürfe. Nationalität, Religion, Hautfarbe sowie sozialer Status spielen eine unwesentlich Rolle ...«

Monika Seyhan war von 2009-2015 Mitglied der Vereinigung Aura 09, der »Aktion unabhängiger Rhein-Ruhr-Autoren«.

Auftritte: Lesungen und Schreibprojekte im Köln-Bonner Raum, Lesungen und Interviews mit Studierenden im Weiterbildungskolleg Köln, TV- Interview im WDR, regelmäßige Auftritte bei deutsch-türkischen Kulturveranstaltungen, Auftritt in der Kulturkirche Ost in Köln, Einladung zur Leipziger Buchmesse 2020 (wurde wegen Corona verschoben).

Lightning Source UK Ltd.
Milton Keynes UK
UKHW020632270521
384471UK00010B/1013